1 bilhão de motivos para você entender e aplicar os 3Rs

Reorganizar, recuperar, reduzir

1 bilhão de motivos para você entender e aplicar os 3Rs

1ª edição: Dezembro 2021

Autores: Eduardo Bitello, Michael Soares

Preparação de texto: Equipe Citadel

Revisão: Lays Sabrina

Projeto gráfico: Anna Yue

Capa: Erich Shibata/João Paulo Putini

Fotografia de capa: Bruno Van Enck

DADOS INTERNACIONAIS DE CATALOGAÇÃO NA PUBLICAÇÃO (CIP)

Bitello, Eduardo
1 bilhão de motivos para você entender e aplicar os 3Rs : reorganizar, recuperar, reduzir / Eduardo Bitello e Michael Soares. — Porto Alegre : Citadel, 2021.
192 p.

ISBN 978-65-5047-114-9

1. Desenvolvimento pessoal 2. Administração de empresas 3. Negócios 4. Empreendedorismo 5. Carreira I. Título II. Soares, Michael

21-5510 CDD - 650.1

Angélica Ilacqua - Bibliotecária - CRB-8/7057

Produção editorial e distribuição:

contato@citadel.com.br
www.citadeleditora.com.br

Eduardo Bitello & Michael Soares

1 bilhão de motivos para você entender e aplicar os 3Rs

Reorganizar, recuperar, reduzir

2021

Sumário

[PARTE 2]

[PARTE 3]

[PARTE 4]

Introdução

Gestão tributária pode ser o caminho para fazer sua empresa ter lucro. Essa frase lhe parece estranha? Vamos provar que ela é verdadeira.

Escutamos desde sempre que precisamos trabalhar quatro meses do ano só para pagar impostos – e isso realmente acontece em muitos casos –, que a questão tributária do Brasil é absurdamente complexa e que serão necessários vários profissionais para legalizar sua empresa. Calma, não precisa ser assim.

Durante nossa carreira, cruzamos com muitos empresários, dos mais diversos ramos, e o problema era sempre o mesmo: eles não queriam ouvir as palavras "tributário", "imposto", "guias", "DARF" etc. O que prendia a atenção deles era ouvir as palavras "prejuízo", "lucro" e "fluxo de caixa". Desde o início de nossa empresa, sabíamos que, com essa abordagem simples e objetiva, seria possível ter ganhos a partir do lucro de nossos clientes. Em outras palavras: quanto maior fosse nossa capacidade de criar fluxo de caixa para determinado cliente, mais valorizado seria o nosso trabalho, mesmo que ele não entendesse nada sobre direito tributário. Essa é a nossa função, não a do cliente.

A ideia não é transformar você, leitor, em um profissional da área tributária, muito menos falar apenas sobre nossa história. Definitivamente, não. Nossa ideia aqui é apresentar o método que desenvolvemos no decorrer dos anos, capaz de criar um ciclo de simplificação e evolução dentro do seu negócio e, por que não, em sua vida. Não importa qual seja a sua área de atuação ou o nível de conhecimento que você tem sobre esse ou aquele assunto. Se a sua ideia é crescer em algo, seja profissional ou não, será necessário desvendar esse caminho. Não é possível chegar a lugar algum sem saber o que percorrer. E quanto mais curto for esse caminho, mais rápido você vai chegar. Se isso parece óbvio em uma caminhada, por que então não aplicamos em todas as áreas da vida?

Escrever um livro é uma tarefa que muitos gostariam de realizar. Dizem que todo homem deveria escrever um livro, plantar uma árvore e ter um filho. Milhões fazem as duas últimas coisas, poucos fazem a primeira. Mas para escrever um livro é preciso ter algo a dizer ou, dependendo do volume de páginas da obra, ter muito a dizer.

Viemos de contextos relativamente similares, somos de origem simples, pessoas que por pouco não passariam despercebidas de toda a sociedade. No entanto, no auge de nossa maturidade, houve uma conjuntura de fatores, uma sinergia entre diferentes forças, e demos uma virada em nossas vidas, que tem causado diferença na trajetória de muitas pessoas, na nossa e de nossas famílias, especialmente.

Depois de anos atuando em mercados próximos, nós dois, hoje sócios, juntamos forças para a criação de um escritório que visava fazer a melhor gestão tributária para empresas de todos os tamanhos. Começamos e acreditamos no nosso potencial. Mas, como dissemos, dada uma conjuntura de fatores positivos, favoráveis, e a aproximação de pessoas inteligentes, competentes e dispostas a somarem esforços conosco, nasceu uma metodologia inédita no segmento em que atuamos, e ela tem revolucionado o modo como as empresas que a adotam revisam, gerem e planejam sua parte tributária.

Com isso, temos conseguido ajudar muitas pessoas e empresas, e essas ações que temos feito produzem caixa, que facilita a ampliação dos negócios para muitos empresários, gerando emprego e aumentando a produção. Em outras palavras, temos conseguido gerar riqueza para famílias, empresas e para o próprio país.

Neste livro, contamos sobre a nossa origem, a fundação da Marpa Gestão Tributária (MGT), falamos sobre a metodologia que criamos e os conceitos que adotamos em nosso trabalho, os quais têm dado muito certo e inspirado muitas pessoas.

COMO UTILIZAR ESTE LIVRO

Pretendemos aqui, a partir de nossas histórias, cases, conceitos, mas principalmente com o método 3R, mostrar que é possível simplificar o caminho e atingir o objetivo mais rápido do que você imagina. Nós nos intercalaremos nas falas deste livro, principalmente quando contarmos uma ou outra história. Para que você entenda mais rapidamente quem está falando, usaremos a seguinte técnica: quando o texto estiver em azul, será o Eduardo quem estará falando; se o texto estiver em **preto**, a fala será do **Michael**. Essa é uma técnica prática, visual e rápida que encontramos para que você, leitor, entenda o conteúdo de maneira unificada, mas ao mesmo tempo tenha a participação ativa de nós dois em seu crescimento.

Esperamos que a nossa experiência sirva de motivação, ou que dê um bilhão de motivos para que você, leitor, acredite no potencial que tem, na possibilidade de uma virada em seus negócios e na sua profissão, e não seja mais levado por crendices que o mercado e a cultura brasileira insistem em apregoar – mas que, como se verá, não passam de lendas.

Vivemos de fatos, não de senso comum. Acreditamos nos grandes objetivos e não nos conformamos com pouca coisa. Temos vivido essa nova realidade. Queremos inspirá-lo a vir conosco nessa jornada para o século XXI, pois ainda há muito o que fazer!

PARTE 1

PARTE 1

Simplificar e evoluir, um estilo de vida

Toda organização é feita de pessoas. Não existe CNPJ antes de existir um CPF. E a conexão entre as pessoas é o que faz empresas crescerem, negócios serem fechados, vidas serem transformadas, projetos saírem do papel. Sempre acreditei nisso. Cresci na empresa da minha família, a Marpa Marcas e Patentes, e percebi desde muito cedo que as vendas são a alma de qualquer negócio. E o que isso significa? Que o prejuízo e o lucro são as palavras para as quais qualquer gestor dá atenção. É como se o cérebro dele estivesse programado para que, cada vez que essas palavras forem pronunciadas por alguém, uma luz verde ou vermelha se acenda. E isso é totalmente compreensível: esses dois termos definitivamente movem qualquer negócio.

Então, qual é o caminho mais simples para fazer com que um gestor, diretor ou presidente nos ouça? Falando as palavras que acendem as luzes em sua cabeça. Desde o início de nossa empresa, quando ela nem mesmo tinha nome, Eduardo e eu sabíamos que quanto mais prática e direta fosse nossa comunicação, mais fácil seria vender nosso serviço. E isso se tornou nosso estilo de vida.

Ao longo destas páginas, pretendemos mostrar como é possível enxergar essas luzes em qualquer situação. Descobrir como o seu interlocutor recebe aquilo que você quer comunicar e, consequentemente, vender, é a alma do negócio. Vou dar um exemplo prático: uma criança de dois anos, ainda com dificuldade de falar, está com fome. Sua mãe, por sua vez, não a estimula a dizer que está com fome, mas para tudo o que está fazendo e lhe oferece comida sempre que ela chora. Essa criança procura desenvolver a fala para explicar para a mãe que está com fome, para dizer qual é o alimento que tem mais vontade de comer e como sua fome será saciada com isso, ou simplesmente chora e espera sua mãe correr desesperada com seu alimento favorito para que ela pare de chorar? Acho que você sabe a resposta, certo? As luzes verde e vermelha no cérebro da mãe são o choro. A criança percebe isso e estabelece a comunicação pelo caminho mais rápido. Simples assim.

Por que, então, quando crescemos, nos esquecemos dessa capacidade de simplificação e tentamos convencer, explicar e demonstrar para as pessoas aquilo que queremos de uma forma complicada, cheia de detalhes, que até faz sentido para nós, mas que para o outro é enfadonha, ininteligível e ineficaz?

Não estou dizendo aqui que, ao vender seu peixe, será necessário chorar como uma criança. Definitivamente, não. Mas você precisará ser prático e simples como a criança. Nosso negócio não é ensinar direito tributário para nosso cliente – nem mesmo para você –, mas, sim, fazer com que ele economize, tenha mais fluxo de caixa e cumpra suas obrigações com os municípios, os estados e a União da melhor maneira possível, sabendo o que faz. Logo, é isso que preciso dizer. Se você, leitor, tem uma empresa que vende pastel, não queira contar para o seu cliente como o pastel é bem feito, quais os ingredientes necessários ou a temperatura da fritura. Apenas faça com que ele coma o melhor pastel de sua vida naquele dia. Percebe a diferença?

Simplificar é uma necessidade. O conceito de simplificação em relação à nossa atividade é essencial. Quando nós olhamos ao redor, em um artigo de jornal, programa de televisão, livro, comentários, não é difícil perceber que o tema tributário é muito complexo para as pessoas. É isso o que a gente mais escuta.

A carga tributária brasileira é uma das mais elevadas do mundo. Todos têm essa noção, e talvez por isso queiram fugir do assunto. O empresário pensa que fará tudo errado, porque a parte tributária é muito complexa e ele não entende os meandros dessa questão administrativa. Em muitos casos, deixa o problema crescer e, depois, faz acordos e parcela impostos atrasados.

Então, o que a gente faz é usar uma linguagem direta e elaborar uma fórmula para simplificar e tirar o empresário dessa situação complexa, desse cenário difícil. E dizemos isso para nosso cliente, nós simplificamos e descomplicamos as coisas, ou seja, trazemos para o nosso vocabulário palavras mais conectadas com ele, ao invés de afastá-lo da necessidade de encarar os impostos como algo a ser assimilado na sua rotina. E com isso tentamos fazê-lo entender o que ele está fazendo.

Temos uma obrigação legal com o país, os estados e os municípios de pagar impostos de forma correta, e é isso que mostramos para as pessoas. Assim, tentamos simplificar as coisas para que o empresário faça o que é certo, e o resultado são clientes legal e juridicamente ajustados e com dinheiro em caixa – o que antes era uma realidade distante e, por vezes, desacreditada.

Ao direito tributário, conseguimos associar palavras mais amenas, mais próximas da realidade do empreendedor. Simplificamos tudo a fim de entregar o resultado que ele almeja.

Em relação ao nosso negócio, a rejeição inicial é notável. Quando as pessoas escutam falar "o tributário", elas dizem "Não, não vou fazer"; "Ah, isso não vai dar certo"; "Ah, é muito complexo"; "Ah, não tem como provar", e coisas assim.

A palavra "tributo" assusta. Quando percebemos isso, decidimos que era preciso quebrar paradigmas. E uma maneira de quebrar paradigmas no nosso segmento era procurando algo que se conectasse com a necessidade e a realidade do empresariado. Basicamente, o que temos de usar para acessar a mentalidade deles é a linguagem.

A principal ferramenta de um advogado (além do conhecimento das leis), em linhas gerais, é a linguagem. Aliás, desde a Grécia Antiga a linguagem (com a oratória e a retórica) é uma ferramenta poderosíssima. Se chegarmos a uma reunião com outra palavra que não seja "simplificação", a conexão será mais difícil de se realizar.

As pessoas se identificam com uma propaganda inteligente ou com uma música porque elas tocam o coração, falam com a nossa experiência de vida. É preciso haver uma conexão para que haja sucesso. Talvez não gostemos do estilo musical de um cantor ou cantora popular da moda, mas, se houver conexão, então entra a empatia, a admiração, mesmo que não seja o nosso gênero preferido, mesmo que não saibamos nada a respeito da trajetória musical daquele cantor ou cantora.

Assim, o empreendedor tem de se conectar com o seu cliente, tem de entender as suas necessidades dentro do quadro de referência dele. Se a situação do cliente é toda complexa, o empreendedor deve fazer o contrário: facilitar ou simplificar as coisas.

É preciso pensar, quebrar a barreira, e isso a gente faz com a simplificação. Trabalhamos com a implementação de uma cultura de que é possível ver o problema de outro ângulo e procurar extrair dele a solução para cada caso.

Para se quebrar um paradigma, é preciso entender e viver a situação. É necessária a ajuda de auxiliares, pessoas que se envolvam e saibam os caminhos da escuta e do diálogo, introduzindo novos conceitos para se chegar a uma linguagem de simplificação. Desde o início da nossa empresa adotamos isso, e foi um longo caminho de construção de uma metodologia para ajudar pessoas e, claro, facilitar nossa caminhada também.

Hoje, parece fácil falar em simplificação. Começamos fazendo ações para mostrar que a mudança é feita paulatinamente. Iniciamos entregando *insights* para o nosso cliente, introduzindo um vocabulário mais acessível, com palavras mais próprias do universo do empresário e com menos "juridiquês", até que a conexão fosse acontecendo. O vocabulário da simplificação não foi usado de maneira abreviada, reduzida, de um modo reservado. Começamos usando exemplos e falando de um modo macro, tentando implementar a simplificação de todos os processos, desde o início da nossa operação até o final.

Quando falamos de simplificação, a tecnologia é uma grande aliada. Durante o período de *lockdown* imposto pela pandemia de Covid-19, passamos a fazer reuniões on-line porque entendemos que essa estratégia nos deixava próximos do cliente. Com essa agilidade (que também é simplificação), mantivemos o nosso cliente informado, enviando relatórios e nos antecipando a determinados procedimentos. No entanto, após a melhora nos números da pandemia, voltamos a visitar os clientes, pois acreditamos na importância do contato presencial para conhecer verdadeiramente os empresários e os seus negócios.

Não deixamos chegar ao ponto de o cliente ter de vir até nós e dizer: "Ah, mas é um processo jurídico... como é que está minha situação? Como vai parcelar o tributo?". Não, nos antecipamos, simplificando as coisas, para não deixar o cliente ter de se levantar da mesa para resolver os problemas.

As ações de marketing de aproximação também seguem a filosofia da simplificação. Assim, vemos que é preciso simplificar até o modo de os donos das empresas usarem as redes sociais. As empresas são pessoas, afinal, não uma estrutura. Pessoas são donas, gente de carne e osso, não entidades jurídicas abstratas. Mas, em geral, se criou aquela imagem de que as empresas, as companhias, são impessoais, intangíveis, quando não são.

Hoje, os clientes querem enxergar o dono da empresa, e alguns empresários entenderam isso. É o que acontece com Magazine Luiza, com a imagem da Luiza

Trajano; com a Cimed, com a imagem do João Adibe. É importante humanizar a imagem da empresa, porque as pessoas estão procurando essa relação pessoal, essa imagem humana e real das companhias.

As redes sociais removem um pouco a privacidade, expondo cenas cotidianas que também vão nessa direção que estamos falando. Assim, elas nos fazem simplificar a comunicação e colaboram com as ações de marketing. E acabamos interagindo bastante com os nossos clientes por meio das redes sociais, pois consideramos importante. E fazemos isso no âmbito empresarial e pessoal, com os proprietários.

Diferentemente do empresário que dá para seus seguidores nas redes sociais relances da sua vida pessoal, a empresa se posiciona mais na perspectiva da informação, daquilo que é o negócio dela. Por exemplo, como a pessoa compra nas Lojas Americanas? Mas o que são as Lojas Americanas? O que eles fazem no dia a dia? O que eles vendem? É barato? O que o produto tem de diferencial? A loja fica próxima da minha casa? Apenas a informação é que aparece – isso se a comunicação for efetiva e bem realizada.

Mas veja o caso do Magazine Luiza. A Luiza Trajano está nas redes sociais. É uma pessoa se comunicando com outras pessoas. O internauta se identifica com ela, porque se torna algo pessoal. O cliente do Magazine Luiza diz: "Ah, qualquer coisa eu vou lá na Luiza Trajano e resolvo" ou "vou lá e compro". Há empresas em outros segmentos, como o financeiro, com estratégia semelhante. Veja o caso da XP Investimentos. Por que a XP cresce? Porque o investidor, pequeno ou médio, sabe que o dono é o Guilherme Benchimol. É ele quem dá o rosto e a imagem da empresa, ou seja, existe uma pessoa na XP como a pessoa que quer investir. Com o marketing de aproximação, esse novo investidor sabe que há pessoas reais, não apenas algoritmos e atendimentos eletrônicos que isolam uns dos outros. Isso é a simplificação da vida dos clientes.

É difícil encontrar nos bancos, por exemplo, esse tipo de aproximação com o cliente. Muitos correntistas não sabem nem quem é o gerente da sua conta. Por outro lado, podemos seguir o Benchimol nas redes sociais e vê-lo interagindo com os seguidores. Se alguém está insatisfeito e o xinga, é possível acompanhar o caso, vê-lo respondendo à pessoa e sentir a vibração pessoal de uma relação real.

Uma empresa não é simplesmente um CNPJ, e o dono dela tem de fazer parte da vida das pessoas e se mostrar, mesmo que ele não conheça pessoalmente todos os seus clientes. O Benchimol não deve conhecer todos os clientes da XP, mas ele está lá, aparece, "dá as caras". Enquanto isso, os correntistas de alguns bancos continuam sem conhecer seus CEOs.

Estamos empenhados em mudar essa cultura, pois a geração que está vindo aí é totalmente digital. Se não simplificarmos, não haverá comunicação entre a nossa geração e a que está vindo aí. Reclamamos dos nossos pais, que eles fizeram isso e aquilo errado, e não podemos repetir o mesmo erro com a nova geração. Minha geração usou internet discada, tendo de navegar durante a noite para ter um pouco mais de velocidade. Minha filha tem acesso ao wi-fi, vai para a aula com um iPad; é muito diferente. Ela nem escreve em caderno físico – para falar a verdade, ela dificilmente escreve. É tudo anotado no celular, o que simplifica, pois não é preciso levar aquelas mochilas pesadas para a escola como no meu tempo. Se considerarmos o uso do celular, minha geração teve o celular "tijolão", a primeira geração, há quase duas décadas. A geração da minha filha usa um aparelho bem mais leve, mais fino, e que tem mais tecnologia do que a nave que levou o primeiro homem à Lua. Essa é a nova geração.

O mundo está sendo simplificado. Não só a parte tributária, mas tudo na vida está sendo simplificado, porque estamos na geração do clique, em que aquilo que a pessoa quer, ela pode acessar muito rápido. Quem quer falar com a Marpa Gestão Tributária entra no site da empresa, vê quem são os donos, investiga a vida deles e, depois disso, compra o serviço, porque o rosto dos donos, o nome deles e suas trajetórias de vida estão ali, ao alcance de um clique.

É preciso entender isso de uma vez por todas. Às vezes nos perguntam por que somos adeptos das redes sociais. Pensamos que ninguém é, mas acaba se envolvendo e aos poucos percebe como parte da vida se transfere para aquele ambiente.

Nossas jornadas

Sou formado em Direito e professor titular de planejamento tributário da Escola Superior de Propaganda e Marketing (ESPM). Comecei a vida profissional aos 19 anos, quando entrei para a faculdade e fui trabalhar de office boy em um escritório de advocacia no centro de Porto Alegre. Depois disso, estagiei na Assembleia Legislativa. Minha vocação para o empreendedorismo, a advocacia e o trato com clientes me levaram a voos mais altos.

Aos 22 anos me formei e já era coordenador em um escritório de advocacia, além de juiz leigo de pequenas causas, trabalhando com processos de defesa do consumidor. Senti-me desafiado a captar clientes para conseguir bater metas, rotina incomum para advogados, mas que era parte da minha vocação empresarial.

Então, comecei a formar uma carteira de clientes. O início do trabalho com clientes era desafiador, o que me fez tomar gosto. O resultado inevitável foi sair do escritório e partir para o empreendedorismo. Arrisquei a carreira de forma autônoma e montei meu próprio escritório quando tinha 25 anos.

Percebi que era interessante estudar os escritórios do Brasil, saber como trabalhavam, e, mesmo já sendo dono do próprio negócio, topei fazer estágio voluntário em muitos deles para ver como funcionavam. Percebi que a área tributária era interessante.

Ali descobri o movimento de compra e venda de empresas, o que me possibilitou negociar em diferentes segmentos. Comprei dois restaurantes e, após vendê-los, passei a atuar na área de telecomunicações. Nessa época, durante uma rodada de negócios, conheci o Michael, de quem sou sócio até hoje. Ele foi o responsável por me apresentar uma empresa no ramo de telecomunicações, que pertencia a um parceiro dele, a qual acabei adquirindo. O Michael trabalhava com registro de marcas e patentes, como assessor do pai dele, e disse que gostava da parte tributária.

Decidimos fazer uma experiência: visitamos duas empresas, uma em Canoas e outra em Porto Alegre, e logo na primeira reunião fechamos um contrato de R$ 700 mil. O primeiro recebimento foi de R$ 320 mil, divididos em quatro parcelas, e o negócio começou a crescer rapidamente. O apoio da minha esposa, Carla Emanuelli Bitello, foi fundamental. Mesmo durante a gestação da nossa filha, ela sempre me deu o suporte e a força de que eu precisava para sair em busca do melhor para nossa família.

O certo a fazer era planejar melhor a empresa, porque até então trabalhávamos na base da intuição. Conversamos bastante e concordamos em direcionar nossas forças para a área tributária. Mas, quando dizemos que planejamos, que conversamos bastante, queremos dizer que anotamos nossas ideias num papel de guardanapo em um restaurante. Planejamos mais ou menos como montaríamos a empresa e começamos o negócio na sala de 15 m^2 que o Michael tinha.

Tendo começado de baixo, sem a menor sofisticação, apenas com o básico – e em alguns momentos nem isso –, fizemos a parte tributária virar nossa obsessão, nosso desejo.

Nos primeiros dois anos, nos dedicamos a visitar clientes, nos empenhamos em ir até onde eles estavam, conhecer de perto seus problemas e procurar dar a eles as soluções customizadas de que precisavam. Trouxemos enfoques novos e a ideia de fazer uma disruptura no mercado. Diferentemente do modo tradicional como os escritórios de advocacia cobram honorários, ou seja, como pagamento mensal, propusemos a opção de remuneração baseada em resultados. É preciso entender o problema do cliente e se envolver na situação em que ele está.

Após cinco meses, inauguramos o primeiro escritório, já em uma sala com 160 m². No começo aquilo foi assustador, já que não tínhamos muitas pessoas trabalhando, em um espaço tão grande. Éramos nós dois, Eduardo e Michael, mais um advogado estagiário, um auxiliar contábil, uma secretária e o time comercial, composto por três pessoas.

Nossa captação de clientes começou a partir da carteira da Marpa Marcas e Patentes, empresa fundada por Valdomiro Soares, pai do Michael, que é nosso sócio até hoje. Inicialmente, contatamos esses clientes, que já eram atendidos pelo Michael na área de marcas. Também passamos a buscar clientes novos, via contato telefônico. Batemos de porta em porta. Foi um incansável período de prospecção.

Assim, mesmo em um meio já bastante saturado, nossa experiência mostrou que é possível identificar um nicho – e pelo que percebemos, essa experiência pode ser levada a outras áreas da economia.

Temos o cuidado de identificar se a pessoa que vai atender o cliente, além de tino comercial, tem *background* específico da situação jurídica da empresa que está sendo atendida.

Quando falamos do atendimento como venda, assumo a dianteira. Minha trajetória profissional começou na área de vendas, brincando de vender e vendendo brincando.

Quando meu pai começou o escritório de marcas e patentes, seu tempo era escasso, como o de todo empreendedor. Meus irmãos e eu passávamos parte do dia na casa de minha avó. Lembro-me de um sujeito que passava por lá vendendo saquinhos de suco, o famoso "sacolé", e aquilo já despertava a minha paixão por vendas. Tinha sete ou oito anos de idade, e meu pai me dava uma mesada simbólica, que era guardada para comprar o sacolé. De tanto comprar sacolé derretido, tive a ideia de usar um isopor para mantê-lo congelado. O passo seguinte foi, com minha avó, fazer o sacolé e sair para vender. Por isso digo que não sei se comecei "brincando de vender ou vendendo brincando".

Quando eu tinha 14 anos, o escritório de meu pai estava em ascensão. Fui trabalhar lá como um "faz-tudo", o que me deu a possibilidade de passar por todos os setores da empresa, até chegar à área de marcas e patentes. Conheci toda a operação do escritório, mas sempre mirava na área comercial, na qual fui trabalhar aos 17 anos.

Durante a expansão da empresa do meu pai, decidiram abrir uma filial em Recife. Tinha cerca de 20 anos, e fui para o novo escritório. Foi ali que descobri o DNA de vendedor, acompanhando os processos dos clientes. Em seguida, assumi a gerência comercial, como coordenador, e, aos 24 anos, a diretoria comercial da empresa, época em que a companhia expandiu muito.

Como participava ativamente das rotinas dos clientes, notei que muitos deles deixavam o escritório, e a razão disso esbarrava na parte tributária, o que chamou minha atenção. Essa área do direito sempre me intrigou, mas não conseguia estabelecer uma parceria a fim de desenvolver um trabalho efetivo para solucionar esse gargalo.

Então, conheci o Eduardo. Repare que nos encontramos na hora certa: é como se um precisasse exatamente da competência do outro. Minha esposa, Gabriela Justo, me apoiou muito desde o início, e sou grato a ela todos os dias de minha vida.

Pois bem, como você já sabe, Eduardo e eu nos conhecemos comprando e vendendo uma empresa. Apresentei o negócio a ele, que, por sua vez, demonstrou interesse. O Eduardo verificou os resumos da empresa, mas, na verdade, tinha interesse em outra parte do negócio, que foi o que o atraiu para a compra. Ambos nos observávamos pelo modo como éramos empreendedores e vendedores. Um vendedor vendeu algo para outro vendedor, o que gerou um encanto mútuo.

Hoje, olhando para trás, vejo como tudo isso valeu a pena. Todo esse nosso esforço lá no início nos levou a uma nova área com quase 400 m^2, com clientes em todo o Brasil. E o que proporcionou esse salto quantitativo foi compreender e falar a linguagem do empresário. Isso implica em fazer uma ruptura, como o Eduardo diz, na linguagem jurídica e tributária. Essa ruptura assusta as empresas, porque a parte dos tributos as deixa acuadas. Assim, investimos na área comercial, que hoje é o DNA do nosso escritório.

O empresário precisa ter o vocabulário e a linguagem do vendedor, porque não há negócio sem que haja vendas. A venda, seja ela de um produto ou serviço, é o invólucro de toda empresa. O nosso negócio é vender um serviço na área jurídica, e, como empresários, temos de mostrar isso para o nosso cliente, que também é empresário e tem algo para vender para os seus clientes.

Então, entendemos que o empresário deve ter a mesma linguagem do vendedor. Quando ambos os lados estão falando a mesma linguagem e há compreensão mútua, o negócio acontece.

Além disso, para haver sucesso em qualquer operação, um dos ingredientes é a presença de algo que chamamos de *repetição*, pois, sem repetição do êxito numa operação, o que se tem é o acaso, uma ocorrência isolada. Quando se consegue repetir a operação, reproduzir certos procedimentos previsíveis e chegar ao objetivo pretendido, então estamos falando de sucesso. E podemos dizer que alcançamos o sucesso em nossas operações, porque continuamos repetindo o alcance dos objetivos para os nossos clientes desde 2016 – e vamos continuar fazendo isso. Em nosso negócio há *repetição*.

Repetimos certos procedimentos, fazendo ajustes pontuais de acordo com a especificidade de cada negócio dos clientes que atendemos, e estamos conseguindo replicar tudo para a nossa equipe.

Case 1: "A grande virada"

Logo após a abertura do nosso escritório, fomos a São Paulo. Tínhamos o contato de um amigo e parceiro que era proprietário de uma empresa grande e renomada no ramo de lâmpadas. Ele precisava do nosso trabalho, e fizemos inúmeras reuniões, talvez umas oito, até o negócio se concretizar. Quando concluímos o serviço, a empresa precisava das certidões negativas de débitos, e fizemos dois acordos, um com a União e outro com o estado.

Aquele negócio foi o ponto de virada do escritório; foi tudo de que precisávamos para dar projeção à nossa imagem no mercado.

Assinamos o contrato após a negociação, e o que era para ser uma reunião de cerca de duas horas, no mínimo, acabou entrando noite adentro. Mas, na manhã seguinte, o CEO da empresa nos ligou e pediu para que retornássemos a São Paulo, porque ele tinha outro trabalho que precisávamos conhecer. Ele adiantou que, em termos de valores, o novo serviço seria o dobro do contrato firmado no dia anterior.

Tínhamos por volta de cinco meses de operação, apenas.

O Michael pensou: "Quer saber? Vamos ampliar nossa sede!".

Alugamos um imóvel contando com os resultados que conquistaríamos a longo prazo, pois sabíamos que tínhamos uma empresa sólida e que, no final desse investimento inicial, ela estaria em pé.

No mês seguinte entregamos o trabalho; no terceiro mês, a tal empresa precisava de linha de crédito. No quarto mês, eles entraram em processo de recuperação judicial. Passaram a desligar o telefone e já não nos atendiam mais. Hoje a empresa continua em processo de recuperação judicial e praticamente não tem saída para a situação em que se encontra.

Quando vimos que nosso principal cliente estava quebrando, nos olhamos e pensamos no que faríamos: "Vamos trabalhar ainda mais!". Essa situação foi de aprendizado para a gente.

Depois de três ou quatro meses, entrou uma grande empresa em nossa carteira, que está conosco até hoje. Esse foi nosso momento de virada, quando nos conscientizamos de que o foco do escritório não deveria estar nas grandes empresas. Tivemos de investir muito tempo até fechar contrato com uma grande empresa. Diversas reuniões foram feitas, várias idas e vindas. Como se paga as contas enquanto o contrato não é assinado e o dinheiro não começa a entrar?

Depois dessa experiência, começamos a equalizar a carteira do escritório com empresas de médio e pequeno porte, que são mais ágeis.

Com esse aprendizado, passamos a ter um grande volume de empresas com esse perfil em nossa carteira. Caso alguma delas deixe de ser cliente ou tenha problemas internos que comprometam os resultados, não sentiremos os reflexos em nosso caixa.

Um objetivo: trazer resultado além do esperado

Nossa maneira de trabalhar é ser remunerado pelos resultados obtidos.

Há algumas demandas que não trazem resultados, mas há outras em que conseguimos ajudar nossos clientes a trabalharem de modo correto e, com isso, obterem resultados expressivos.

Essas demandas são causas advocatícias. Nos diferenciamos de outros escritórios da mesma natureza pelo simples fato de não cobrarmos o valor mensal, que é um custo que o pessoal da área tributária gera; cobramos apenas pelo trabalho realizado. Não é preciso pagar uma consultoria por doze meses.

Se tivéssemos optado por remuneração mensal durante a pandemia de Covid-19, com certeza haveria uma drástica redução do nosso faturamento, além da perda de clientes. Fizemos nossa prestação de serviço ganhar relevância criando ações, apesar de a primeira ideia ter dado errado. Isso porque não pensamos somente em resultado, isto é, na nossa remuneração. Pensamos em seguir pelo caminho que estava certo. Às vezes o empresário "se joga", quer arriscar em determinada direção, mas analisamos tudo e o orientamos.

E foi durante a pandemia que criamos nossa metodologia sobre isso, a 3R – que será explicada em detalhes mais adiante. Um dos aspectos dessa metodologia indica que, se o empresário tem uma ideia, e se essa ideia se apaga por algum motivo, é preciso acendê-la novamente. Entendemos que, se você acredita numa ideia, deve segui-la. Sabemos que encontrará muitos obstáculos, já que a vida é cheia deles. Então, o que se tem a fazer é não parar.

No início do escritório, eu disse: "Temos que fazer algo diferente do que os outros escritórios fazem, e vamos começar aqui dentro, com um anúncio em jornal", que foi uma estratégia que observei na marca do escritório de meu pai. Fizemos um anúncio em busca de vendedores, ao invés de buscarmos advogados.

Nesse processo, durante a parte da manhã, explicávamos aos candidatos o que iríamos fazer e propúnhamos que eles retornassem à tarde. De todos os entrevistados, doze pessoas, apenas dois retornaram. Mas sabemos a razão: o segmento tributário assusta.

Dos dois que retornaram, um foi contratado. Repetimos o processo, que gerou o mesmo número de interessados, e novamente apenas um profissional foi contratado. Tínhamos dois advogados com a gente e tínhamos que treiná-los. Somente após muito treinamento é que marcamos uma visita a algum cliente com eles.

Até hoje é esse o procedimento que adotamos. O vendedor entra, a gente treina, e seguimos com reuniões, marcações de visitas, e vamos acompanhando. Hoje não fazemos mais o treinamento nem o acompanhamento deles pessoalmente, pois temos um coordenador comercial que cuida disso. Mesmo assim, acompanhamos o andamento de tudo.

Na implantação desse modelo, aconteceram muitas visitas "sem pé nem cabeça", e o que resultava delas não se sustentava. Então, fizemos mais um anúncio de jornal e decidimos colocar mais gente para nos apoiar. Ficamos com cerca de sete pessoas, e, dali em diante, eu e o Eduardo começamos as viagens para atender os clientes de fora do Rio Grande do Sul. Ficávamos apenas dois dias no escritório.

Então, um dia aconteceu algo novo, quando voltamos de uma das viagens. Tínhamos uma equipe fechada com dois advogados, dois fiscais, uma secretária e uma recepcionista. Fomos questionados por um vendedor, que não estava compreendendo nosso trabalho. Chegamos à conclusão de que ninguém do time tinha captado firmemente a essência do negócio, e decidimos demitir todo o escritório.

Dessa forma, tudo ficou como quando começamos: apenas nós dois e a secretária. Tínhamos quase um ano de estrada e, mesmo assim, recomeçamos tudo.

Havia muita demanda de trabalho. O Eduardo tinha que ser responsável por toda a parte operacional jurídica, e recrutamos mais alguns advogados e vendedores, isto é, toda a área comercial foi refeita. Tudo isso em um mês e meio! Havia uma diferença, porém: agora tínhamos o DNA que até hoje a gente procura manter na empresa.

Em nenhum momento nos assustamos com a mudança radical, e podemos fazer um paralelo com o momento da pandemia, já que foi algo que marcou profundamente nossa história. Contudo, como diz o Eduardo: "Do problema vem a solução".

Na nova fase, conseguimos um planejamento de equipe, passamos a recrutar e treinar melhor os profissionais do time e perceber que é necessário estarmos mais próximos uns dos outros.

A necessidade de demitir todos os colaboradores de uma vez serviu como lição, pois tínhamos de nos levantar juntos para sairmos daquela situação. Desde então, temos considerado isto seriamente: é preciso estarmos próximos uns dos outros.

Há uma frase interessante, dita por um influenciador digital, que diz: "Sempre contrato gente mais inteligente do que eu". É isso! Inconscientemente, nós dois fazemos isso, da maneira como podemos e dentro das nossas limitações. Tentamos contratar pessoas mais inteligentes do que nós para irem além do que poderíamos pelos nossos clientes. Claro que em primeiro lugar, elas precisam ter caráter.

Talvez não faríamos novamente essa "demissão em massa". Mas, pelo bem da nossa empresa e, especialmente, pelo bem de nossos clientes, não vemos o menor problema em empreender esse esforço. Nós dois somos muito detalhistas na operação de nosso negócio e queremos sempre o melhor para que possamos ir além do que os nossos clientes nos pedem ou precisam. Alguns clientes vão além da parte tributária e nos pedem conselhos até para assuntos pessoais. Chamamos isso de confiança. E é isto que queremos de nossa equipe: que ela transmita confiança para os clientes e que faça todos serem acolhidos.

Nosso cliente precisa entender aquilo que o Eduardo sempre diz: que somos geradores de caixa. Não somos os sábios que irão ensinar o empresário a administrar a empresa, mas queremos mostrar que os tributos precisam ser pagos de forma correta e que, com isso, resultados positivos serão gerados para a companhia.

No dia seguinte àquela situação em que precisamos reestruturar nosso time, quando entrei no escritório, meio distraído, eu disse "bom dia", mas não tinha ninguém para responder.

Rapidez na tomada de decisões

Não podemos demorar a tomar decisões quando a situação exige isso. No início do nosso negócio, quando éramos poucas pessoas, podíamos tomar uma decisão mais radical, como demitir a todos. Hoje não teríamos a mesma facilidade.

Outra frase que o Eduardo disse há pouco tempo é: "A prepotência é uma palavra com a qual os gestores precisam se preocupar. Aquele que é muito confiante no seu faro tem que tomar cuidado, pois isso pode levá-lo à falência, ao abismo".

Temos um curto tempo de empresa, mas experiência de vida que nos ajuda na construção de uma carreira vitoriosa. Também aprendemos com os empresários que são nossos clientes, e isso nos faz avançar em relação ao conhecimento do segmento em que atuamos.

Por conta da nossa *expertise*, não levamos mais do que 24 horas para tomar uma decisão. Temos de ser rápidos. Um dia, falávamos com o nosso coordenador sobre o desenvolvimento da equipe. Dissemos que, se fosse pelo bem dos nossos clientes e da empresa, poderia fazer o que achasse necessário. Não podemos ficar com profissionais que não compreendem nosso DNA. Claro que demissões machucam. Mas, mesmo machucando, quando necessário, é preciso trocar membros do time e fazer novas contratações rapidamente.

Certa vez, o Eduardo comunicou que estávamos com um problema em nosso atendimento do escritório. Hoje, temos alguém para entrar em contato com os clientes até em datas como aniversário, seja do empresário, seja da empresa dele. É comum nosso colaborador ligar e nem os clientes se lembrarem do aniversário da empresa! Mas isso é importante. Gravamos vídeos parabenizando-os, mesmo quando estamos longe. Paramos o que estamos fazendo e gravamos no mesmo dia, o que dá um toque bem pessoal e humanizado. Personalizamos tudo, e isso também entra na conta de tomada de decisão: não deixamos para amanhã. O tempo do cliente tem que ser o nosso tempo.

Energia na gestão tributária

É nossa ideia ter clientes em diferentes segmentos. Queremos estar em todas as áreas, no maior número de empresas. Nosso posicionamento para alcançar isso é, como já dissemos, tentar entender a necessidade do cliente e dar a ele o suporte necessário.

Se o cliente é do Simples Nacional, é preciso entender se esse regime tributário realmente faz sentido para o negócio dele. O mesmo acontece para o empresário que adota o Lucro Presumido e o Lucro Real. Fazemos atendimento personalizado de acordo com as necessidades e o segmento da empresa, seja ela do comércio, seja de serviços, seja da indústria. Nos preocupamos tanto em satisfazer os mais diversos perfis de clientes que criamos um símbolo para isso, um energético. Isso mesmo: aproveitamos o fato de sermos consumidores de energético e produzimos um com a nossa marca. O energético é uma bebida democrática: do jovem ao mais experiente, todos podem consumi-la. Ele serve para todas as faixas etárias, assim como nós, da Marpa Gestão Tributária, somos a solução para empresas de diferentes áreas e tempo de atuação. O energético simboliza a energia que colocamos na gestão tributária dos nossos clientes. Além disso, é uma bebida acessível quando a comparamos com outras opções, como o vinho. Ele não exige grande conhecimento para ser consumido, não precisa ser harmonizado com a comida. É só abrir a lata e beber. Assim, o energético nos aproxima de todos os perfis de clientes, dos mais simples aos mais sofisticados.

O tributário, além de gerar caixa, deve dar energia para a empresa.

O investimento em tecnologia

Outro aspecto da simplificação, na nossa concepção, é que ela é macro e vai desde investir em uma sala comercial para ter espaço para atender clientes, até a aquisição dos melhores *softwares*. E isso tendo como foco o ser humano, o profissional com quem trabalhamos, seja "em casa", seja no cliente.

Nós gostamos muito da simplificação, e admiramos o exemplo do Nubank. O correntista acessa o aplicativo do banco digital e, se ele disser: "Oi! E aí, tudo bom?", ele receberá a resposta: "Beleza, como é que tá?". É uma nova fase na qual se remove aquela linguagem robotizada, de um atendimento mecânico, frio e impessoal. Agora temos a possibilidade de dar atendimento em tempo real. Se o cliente quiser falar, não precisa ligar para uma central telefônica e ficar esperando a boa vontade de alguém para atendê-lo. O *Nubank* faz isso muito bem e também é presente nas redes sociais. Essa é uma das razões pelas quais acreditamos que os negócios crescem, pois as pessoas querem ter uma experiência humana com as empresas, não com estruturas institucionais que estão longe da realidade.

Economicamente falando, essa relação *empresa-consumidor* mudou. As coisas foram simplificadas. Assim, é preciso investir em *softwares* que façam a mediação nessa nova era em que as relações se dão dessa maneira, realizando os processos a partir do próprio escritório, por pessoas de verdade.

Não queremos o cliente esperando. Veja o que acontece no varejo: quando um consumidor vai a uma loja física em busca de um produto, na maioria das vezes, ele já pesquisou informações sobre o item no site da rede. Ele pode ir até a loja para ver o produto e experimentá-lo, mas vai decidir finalizar a compra pelo canal que for mais conveniente para ele no momento. Então, é aí que precisamos ser eficientes: estar no local onde o cliente quer que estejamos.

Os hábitos de consumo das pessoas mudam, e, nessa mudança, antigos líderes de mercado saem de cena para a chegada de novos *players*. Para acompanhar a dinâmica do mercado de hoje, é preciso entender o perfil dos consumidores, as mudanças que estão acontecendo (rapidamente), e tudo isso exige simplificação, tecnologia e compreensão do contexto global, porque as pessoas vão mudando – e, com elas, os conceitos também se alteram.

Nosso diferencial na Marpa Gestão Tributária foi desenvolver um sistema que, com a ajuda de algoritmos, faz uma varredura no histórico tributário de qualquer porte de negócio em no máximo cinco dias. Com o resultado em mãos, conseguimos que o cliente passe a pagar impostos corretamente e também recupere valores pagos indevidamente.

Case 2: "Amanhã cedo em São Paulo"

Acreditamos que não existe empresário sem grandes histórias. E temos histórias com as quais as pessoas se identificam. Sabemos que, para implementar um novo projeto, qualquer que seja, é melhor planejar, colocar no papel e identificar os prós e os contras.

Mas há vezes em que desejamos começar "bonitinho", pelas aparências, querendo contratar antes de planejar, montar um escritório antes de levantar os custos.

Para se montar um escritório de advocacia, é preciso uma sala, depois é preciso contratar uma secretária, depois ter pelo menos dois advogados, e por aí vai. Existem muitos livros que ensinam isso, mas notamos que há um abismo entre a teoria e a realidade.

O Michael costuma repetir o que outras pessoas dizem, que o brasileiro primeiro executa e depois planeja. E isso é verdade! No entanto, muitos brasileiros querem empreender em algum momento da vida e, de fato, empenham-se nisso. Mas não é fácil passar muito tempo da vida apenas planejando, porque chega um momento em que se quer ver os resultados. Assim, muitos empreendedores no Brasil optam por começar pelo que seria a segunda fase e, depois que as coisas começam a acontecer, elaboram um planejamento para avançar.

Nós sempre colocamos no papel que queríamos ter um escritório em São Paulo. Embora estivesse em nosso planejamento, não estabelecemos um momento propício para essa expansão.

Estávamos com cerca de oito meses de funcionamento do escritório em Porto Alegre e tínhamos fechado um bom contrato. Era uma terça-feira, e eu estava jantando com minha esposa em um restaurante aberto recentemente na cidade. Enquanto jantava, o Michael me ligou algumas vezes, mas não escutei o celular tocar.

Quando vi as ligações perdidas, fiquei preocupado e imediatamente retornei a chamada. O Michael atendeu da seguinte maneira: "Vamos para São Paulo amanhã e ver o que acontece?". Aceitei a proposta e compramos as passagens para o dia seguinte pela manhã. Combinamos que chegaríamos ao saguão do hotel e assinaríamos um contrato no final do dia. Chegamos ao hotel e iniciamos as ligações para os nossos contatos. Uns dez ou onze. Ligamos até que alguém nos atendesse. Fizemos isso porque não tínhamos um escritório em São Paulo, nem tínhamos muitos contatos na cidade. Mas começamos com os poucos contatos que tínhamos, ao menos para fazer networking, e fizemos!

Nas ligações que fazíamos, nosso roteiro começava mais ou menos assim: "Oi, lembra de mim?", e foi isso o que fizemos o dia todo. Combinamos encontros, marcamos reuniões e começamos nossa carteira de clientes na região.

Não é necessário ter tudo funcionando tão "certinho", porque pode acontecer de você não ter o dinheiro necessário ou os recursos suficientes até que o que foi planejado comece a dar resultados. É preciso ter uma ideia, um produto, e, se esse produto ou serviço puder transformar a vida de pessoas e empresas, acreditar que as coisas irão se encaixar.

VESTIR-SE BEM É CARO, MAS VESTIR-SE MAL CUSTA AINDA MAIS

Tínhamos uma sala de reuniões padrão. Com o passar do tempo, entendemos que era necessário mudar esse conceito de reunião, especialmente no nosso segmento. Agora nossas reuniões são mais descontraídas, em um espaço *gourmet*, porque é disto que as pessoas precisam: ter tranquilidade para assimilar os elementos da nossa área de atuação e informações para a tomada de decisão certa no tempo certo. Assim, conseguimos tirar aquela tensão do ar, de o sujeito temer ir para a sala de reuniões só com "a turma do jurídico", que usa terno azul-marinho e deixa todo mundo com medo.

O empresário brasileiro procura assessoria jurídica porque ele está com algum problema; isso é certo para a maioria dos casos: ele só procura solução quando está com problema grave. Uma minoria procura assessoria para fazer algo preventivo. É como dissemos antes: primeiro ele executa, depois planeja. Isso vale para outras áreas da vida, como a saúde. Dificilmente alguém vai fazer *check-up* periodicamente. A gente procura o médico quando a dor aparece. Na nossa área não é diferente.

Se o empresário está com problemas, é preciso deixá-lo descontraído; ele precisa se sentir calmo, ficar relaxado.

Caso contrário, ele chega tenso e fica cego na busca de uma nova realidade para a sua questão. Por essa razão, também não usamos gravata, por exemplo. Isso não significa que não estaremos bem vestidos, de acordo com a ocasião. Como diz o *personal stylist* Alexandre Taleb, especializado no visual masculino: "Vestir-se bem pode até custar caro, mas vestir-se mal custa mais caro do que se imagina: você perde respeito, perde valor, perde oportunidades, perde conexões e, mesmo sem querer, perde trabalhos".

A ideia é conseguirmos que o cliente se conecte conosco, não importa o seu ramo de atuação. Simplificamos nossa imagem pessoal sem perder a elegância e o respeito que um encontro com o cliente exige, procurando entender que cada segmento tem uma postura, uma forma de se vestir. Um médico se veste de branco pois essa é a tradição no segmento, porém, ele pode simplificar isso trajando algo menos formal, que o conecte com o paciente. Não existe até a "síndrome do jaleco branco", em que diante do médico o paciente tem reações adversas? Então faz algum sentido o que estamos falando, concorda?

Quando precisamos ir a uma audiência, aí, sim, vamos vestir um terno escuro com gravata, mas para o cliente podemos levar mais leveza. Isso é simplificação.

Fomos muitas vezes para o interior de alguns estados, especialmente no Rio Grande do Sul. Nas primeiras visitas, nos apresentávamos como se vestem os advogados tradicionais e achávamos isso natural. As pessoas ficavam nos olhando, estranhavam a nossa presença, e hoje não temos dúvida de que perdemos alguns contratos por causa disso. O cliente não se identificava conosco porque imaginava que o nosso serviço deveria ser caro ou que não tínhamos nada a ver com a realidade dele.

É imperativo implementar a simplificação nos processos e atendimentos. E não só simplificar no sentido de descomplicar. Nossa essência principal é a parte tributária. Por todo lado, as pessoas falam: "Pô, tributo é horrível, é complexo...". Sabemos que o Brasil, de fato, tem burocracias e outros problemas. Isso é verdade; mas também tem o outro lado, de a pessoa não entender o tributo que paga. Muitos nem sabem o quanto pagam.

Se não entender isso, o sujeito está andando segundo o Paradigma do Macaco, uma história popular que gostamos de contar, porque ela nos ensina muito. Segundo o conto, um cientista colocou três macacos numa jaula e deixou um cacho de bananas lá dentro. Um dos macaquinhos, quando viu as bananas, pegou uma delas. Então, quando isso aconteceu, o cientista jogou água nos macacos que não tentaram pegar bananas. Em seguida, o cientista retirou da jaula o macaco que roubou a fruta e colocou outro no lugar dele. O novo macaco foi até o cacho de bananas e apanhou uma delas. Na sequência, o cientista jogou água na jaula, molhando novamente os macaquinhos que não tentaram pegar bananas. Novamente ele tirou da jaula o macaco que tinha furtado a fruta e colocou outro macaquinho em seu lugar. Quando o recém-chegado foi pegar uma das bananas, os outros dois deram uma surra nele, na tentativa de evitar que fossem molhados novamente.

Bem, o cientista continuou trocando o macaco que pegava a fruta, e a pancadaria se repetia. Certa vez, o macaco que foi pegar uma banana apanhou dos outros dois e se virou para perguntar: "Mas por que estou apanhando?". E os outros dois responderam: "Não sabemos, isso sempre foi assim".

Às vezes a gente não tenta entender o que acontece, repete hábitos, e continua apanhando, porque não entende a razão das coisas. A carga tributária é complexa? Você sabe o que está pagando? "Não, não sei", as pessoas respondem.

Se você perguntar para vinte pessoas "Você acha que está pagando mais imposto?", provavelmente as vinte pessoas responderão que "sim", que não estão satisfeitas pagando impostos na proporção atual. Mas e se perguntar se sabem se estão pagando a taxa certa? Elas continuarão insatisfeitas, dizendo que consideram justo o recolhimento dos impostos, mas sem concordar com o pagamento. Criou-se esse paradigma, e as pessoas repetem isso ano após ano.

O governo federal deveria fazer algo para ajudar a esclarecer esses aspectos, mostrando onde foi investido cada tributo, em qual infraestrutura foi investido, quanto de benefício foi concedido, quantas isenções, mas não, isso não é apresentado, não há um plano de educação tributária no país. O que existe é uma infinidade de leis, uma complexidade gigante, e a parte da simplificação é esquecida pelos governos de todas as esferas.

Veja, então, como essa palavra "simplificação" é tão importante para nós. Questionamos o empresário sobre quanto ele paga de tributo, se ele está pagando o valor certo ou errado, entre outras variantes. Há casos em que a empresa emite muitas notas fiscais e acaba errando nos valores, porque a classificação da mercadoria está errada. Também pode haver uma isenção que o governo concede, mas o empresário não está informado a respeito e paga a mais sem ter necessidade. É assim que vamos simplificando os processos para nossos clientes e mostrando para eles como algumas etapas são bastante simples e práticas.

Antes de chegarmos a uma reunião, sabemos que o cliente já nos conhece, já leu alguma entrevista nossa na imprensa ou acessou nosso perfil no Instagram. É assim que ele fica próximo de nós. Dizemos que, em alguns casos, o cliente fica até íntimo! Isso facilita muito a criação de um ambiente descontraído para situações como uma reunião, e eles dizem isso. Em alguns casos, eles mesmos "quebram o gelo", dizendo algo como: "Pô, eu vi [a foto da] tua filhinha, vi tua esposa... pô [você] tava viajando". E assim vamos nos identificando.

A simplificação tem de acontecer em cada fase do processo. Depois disso, uma parte importante é fazer a equipe acreditar nesse paradigma. Se é uma sociedade, o sócio deve acreditar nisso. Depois, o pessoal internamente tem de entender o conceito e vestir a camisa, porque um time forte mostra que todos acreditam em um ideal, e isso faz as coisas fluírem melhor.

Os colaboradores que amam a empresa onde trabalham se engajam com a liderança, com o proprietário e com os princípios e ideais que ela defende. É por isso que empresas como o Google são tão fortes.

Nós gostamos muito de esportes coletivos e podemos tirar um paralelo interessante deles. No futebol, por exemplo, um bom jogador pode fazer o time vencer um jogo, mas é preciso contar com trabalho em equipe para sustentar as vitórias e conquistar o campeonato. Na vida profissional, a equipe tem de estar preparada, acreditar e fazer o seu melhor. E cabe ao líder, seja um gerente, seja o CEO, entender em qual posição cada "jogador" tem melhor performance. Toda a equipe tem de estar engajada, porque é isso que faz diferença na hora do atendimento, na realização de uma reunião com o cliente. Quem for indicado para dirigir a reunião tem de estar engajado com os princípios da empresa. Não adianta os sócios falarem uma língua e alguém na equipe tentar falar outra. Se isso acontecer, acabou a simplificação, acabou a conexão. Por isso, defendemos que a conexão seja completa, desde o vocabulário da simplificação até os procedimentos burocráticos. E o cliente deve compreender isso e entrar no jogo com a sua própria equipe. Ele deve chegar em sua empresa e ver que todos fazem da simplificação um ideal de vida. Ele precisa reconhecer: "Poxa, eles simplificaram a sala de reuniões... poxa, tem isso aqui que é simplificado... poxa, eles me atendem nisso que era complicado pra mim", e assim por diante.

Case 3: "Goiânia, uma cultura interessante"

Quando decidimos ir para Goiânia, sabíamos que iríamos aprender. Começamos visitando parceiros, empresas, mas passamos por alguns perrengues, especialmente durante o trajeto de um lugar para outro. Pegamos estradas com muita chuva, mas isso faz parte do nosso dia a dia.

Fizemos isso por seis meses, e a entrada nessa capital foi um pouco mais difícil do que em São Paulo, por exemplo. Só que em Goiânia há muito mercado, muitos benefícios, muitas áreas específicas, como a indústria farmacêutica. Porém, não estávamos conseguindo bons fechamentos de contratos. Mas não desistimos, já que tínhamos experiência e mapeamos a região melhor do que fizemos com outras cidades em que tínhamos tentado entrar.

Fomos a uma indústria cervejeira grande, conhecida em Goiânia. Falamos com Fernando Pinheiro, diretor da companhia, uma pessoa extraordinária. A negociação avançou e fechamos contrato. Precisávamos restituir os valores investidos em Goiânia, pois ficamos lá por quase dois meses e entregamos tudo em tempo recorde. Conseguimos um valor considerável, tudo auditado pela contabilidade e auditoria deles. Nem ficamos preocupados com novas indicações, e fechamos muitos negócios ali.

Outra história em Goiânia se deu no início da pandemia, quando havia muita incerteza. Ficamos com uma dúvida: "Como a gente trabalhará com a empresa de portas fechadas?".

De uma hora para outra, parou tudo! O Brasil e o mundo pararam. Houve muito desespero. Ninguém sabia o que fazer. Naquele tempo, nos falávamos todos os dias a fim de encontrar uma forma de nos reinventarmos. Pensamos muito em uma palavra mais empresarial: *tributário*. Porque tributário é dinheiro, e a operação tributária tem poder de deixar dinheiro no caixa das empresas. Ou seja, a gente investiu nesse foco, de gerar caixa para as empresas.

Não estávamos preparados para o *home office*. Queríamos ir para o escritório, como todos queriam. Então, durante o *lockdown*, todos os dias, nós, os donos da Marpa Gestão Tributária, fomos ao escritório, para nos sentirmos úteis. E começamos a ligar para empresários e parceiros.

Falávamos sobre a necessidade de a empresa ter Certidão Negativa de Débitos (CND), federal ou estadual, pois o governo a requisita para emprestar dinheiro. O governo havia liberado várias linhas de crédito, e estávamos focando nesse aspecto.

Quem deseja fazer empréstimo bancário precisa estar regularizado com a Receita Federal, com a União e com o estado. É básico. Logo em seguida a esse momento, um cliente em Goiânia, uma indústria, com um problema financeiro específico, nos contratou e pediu o trabalho em três dias. Começamos imediatamente, e no dia seguinte liberamos a documentação para ser analisada. Eles estavam com débito na Receita de R$ 1,5 milhão, e dissemos que havia crédito compatível, de modo que dava para tirar a CND.

Na negociação, estabelecemos que o cliente só nos pagaria se a empresa continuasse prosperando. Com tudo parado por conta da pandemia, fechamos contrato. Pensamos: "Estamos no caminho certo". E isso nos deu uma "levantada". Foi nesse ponto que encontramos a nossa reinvenção. Então, continuamos ligando, e mantivemos esse foco adotado.

Começamos a fechar diversos contratos durante a pandemia, no momento em que as empresas estavam fechando. Na hora de recebermos, os clientes não pagavam. Tem cliente que até hoje não nos pagou. Mas isso nos deu força, pois havíamos encontrado o caminho certo.

Saímos da zona de conforto, fizemos diversas ações. Matérias e *podcasts* foram publicados sobre o nosso trabalho, nos quais pudemos dar a explicação de como saímos da crise. Então vieram as *lives* sobre o nosso negócio, e chamamos muitos clientes, contadores e advogados para participarem. Insistimos em destacar o nosso lema: "Do problema, encontrar a solução", e realizamos diversas ações divulgando isso.

Durante toda a pandemia, sempre encontramos uma solução para avançar.

Conseguimos reconhecimento no mercado, o que nos impulsionou de uma maneira impressionante. Nos primeiros 30 dias da pandemia, não tínhamos ideia de quem iria nos pagar e quem iria nos deixar – lembrando que, desde o início da nossa empresa, a proposta não era ter clientes que realizassem pagamentos mensais.

Depois dos cases, um "causo": entrando numa fria

Após montarmos um escritório no Rio Grande do Sul, fomos a uma empresa do ramo de laticínios, que logo se tornou nosso cliente. O proprietário da empresa nos levou a uma câmara fria. Estimamos que a temperatura estivesse na casa dos 100ºC negativos. Aquele não era o nosso ambiente, mas, uma vez dentro da câmara, o empresário se empolgou e foi nos contando sua trajetória profissional. Estávamos congelando ali, mas "mantivemos a linha", sem dizer nada. Hoje, ao recapitular esse episódio, achamos que a temperatura era muito menor do que imaginamos na época.

Aquele empresário vestia roupas apropriadas, enquanto nós não conseguíamos parar de tremer. Mas mantivemos a pose, com medo de dizer algo que ele não gostasse e assim inviabilizar a assinatura do contrato. A situação foi marcante, a ponto de nunca termos nos esquecido dela. Mas aguentamos firme, e valeu a pena: o cliente está conosco até hoje!

PARTE 2

PARTE 2

Imersão e maturidade

> “O homem chega à maturidade quando encara a vida com a mesma seriedade que uma criança encara uma brincadeira.”
>
> – Friedrich Nietzsche
> (filósofo alemão)

Identificar a necessidade de mudanças e tomar a decisão certa não é algo que se faça da noite para o dia, nem em um passe de mágica. Tudo decorre de um processo que envolve pelo menos duas vertentes: imersão e maturidade. A imersão acontece quando o empresário ou o profissional liberal entra de cabeça, respira e vive o seu negócio o dia todo.

Nós entendemos toda a nossa empresa, nós a respiramos e transpiramos. Acompanhamos nossos clientes, os visitamos, sabemos quem eles são. Parte da maturidade vem daí. É preciso entender quem é o cliente, o que ele faz e do que ele precisa. Não tem como realizar qualquer ação efetiva de mudança, nem refletir sobre as questões que ele traz, se você não conhece o cliente, a empresa dele e seus colaboradores.

Já a maturidade só se alcança com o tempo, vivenciando a empresa, bem como a relação comercial do seu negócio, que é o trato com os clientes, o envolvimento com os problemas e dores deles e a busca por soluções.

A maturidade, ou poderíamos chamar de evolução, deve ser constante, não importa o cenário do país. Veja o exemplo da pandemia. Muitos podem ter pensado: "Complicou tudo!". Outros pensaram: "Agora acabou...". Nós pensamos: "Como é que vamos driblar isso e aproveitar a oportunidade?". E foi o que aconteceu, porque, durante a pandemia, evoluímos muito. Começamos a fazer muitas reuniões *on-line*, e daí vieram outras percepções, e não paramos de fazer mudanças.

Então, a evolução é constante, para toda empresa, e quem está à frente precisa passar essa percepção e esse espírito para os colaboradores, dizer o que está acontecendo, mostrar o que o líder está vendo que os outros não veem, e chamar a equipe para caminhar junto.

A troca de informação e de conhecimento faz a pessoa evoluir, e consequentemente a equipe e a empresa vão com ela. Mais do que isso, é preciso ter informação e conhecimento sobre o seu cliente. Se não tiver troca de informação com ele (não apenas conhecimento sobre quem ele é e o que faz), se não houver entendimento sobre as ações que ele está realizando, que é algo fundamental na nossa percepção, não haverá evolução.

O cliente está interessado em que o seu fornecedor faça a diferença no empreendimento dele. Por isso, ele deseja dar a informação certa para o seu parceiro, mas só fará isso quando notar que esse parceiro está atento, interessado e envolvido com as suas dores.

Trabalhamos muito com os donos das empresas. Em geral, os CEOs vivem e respiram a empresa, como nós. No momento certo eles dirão: "Eu estou com um problema aqui. O tributo me machuca ali... estou com um problema nessa área; o que você acha?".

Por isso, é preciso entender o negócio dele, porque, entendendo o cliente, entende-se toda a cadeia da sua atividade e todo o segmento em que ele está inserido.

Assim, a evolução é constante, mas é constante quando se entende as áreas, os colaboradores, os parceiros e, principalmente, o negócio do cliente. É na interação com ele que você irá evoluir, e farão isso juntos.

Vemos isso acontecer com marcas como Nike e Coca-Cola. Elas mudam e passam a ditar tendências, porque estabeleceram um ponto de evolução dentro do segmento em que atuam que as leva a um patamar que as outras empresas, concorrentes ou agregadas, querem acompanhar.

Tomo como exemplo a Coca-Cola Light. Quando esse produto foi lançado, houve um estranhamento inicial. Daí, outras marcas começaram a fazer algo semelhante, como a Pepsi Light. E não parou por aí. Até o pessoal dos alimentos entrou na onda. Comida *light*: todo mundo fez careta, quiseram saber o que era aquilo, mas logo vieram os restaurantes com comida saudável, e o segmento foi incrementado.

Hoje há muito mais pessoas comendo alimentos saudáveis. A evolução acontece aos poucos, mas é impossível voltar ao que se fazia antes.

Quando comparamos restaurantes com alimentos saudáveis hoje em relação a dez anos atrás, a mudança é impressionante. Arriscaria dizer que, para cada restaurante com cardápio comum, há dez que servem alimentos saudáveis. E quem não entender isso, quem não tiver o cardápio "*fit*", enfrentará problemas para se manter com as portas abertas.

Objetividade é simplificação

> "Encontrar complexidade nas coisas é tarefa fácil. Difícil é simplificar."
>
> – João Alberto Catalão
> (empresário e mentor de executivos)

Concordamos com a ideia de que "menos é mais". Simplificar também envolverá as relações pessoais dentro das empresas. Não somente os processos, como deve estar claro para o leitor até aqui. Quando se chega diante de um empresário ou diante de um colaborador, não pensamos que seja certo explicar tudo detalhadamente, os meandros das leis e tudo o mais. Isso é problemático.

Quanto mais objetivo formos, quanto mais sensatos formos, quanto mais direto ao ponto formos, melhor. Além de economizar tempo, economizam-se diversas outras coisas.

Dias atrás publiquei um *post* no Instagram com a seguinte mensagem: "O para-brisa é maior que o espelho retrovisor, porque a gente tem que olhar para a frente, não para trás". Do modo como entendemos o processo de simplificação, não faz muito sentido trazer mil exemplos de como se faz determinada ação, apresentando casos de diversos clientes e de outros escritórios. Em nossas reuniões, procuramos entender a necessidade do cliente e dizemos o que queremos entregar.

Há muito ruído nas comunicações feitas por toda parte. Principalmente nas redes sociais. Mesmo tendo de ser ativos nelas, é preciso saber distinguir e se desviar dos inúmeros ruídos, daquilo que não o levará a lugar algum, desviar-se das mensagens que não contribuem para nada. Com o fenômeno das redes sociais, aumentou absurdamente a possibilidade de todos falarem muito. Curiosamente, pessoas que não têm nada a dizer falam exageradamente; pessoas que não têm experiência em nada, que não entendem a complexidade da vida, do mundo dos negócios, estão nas redes sociais falando para milhares de outras pessoas. Isso tudo é ruído, é barulho, é poluição tóxica. Em geral, as pessoas não levam tão a sério os aspectos da simplicidade e os seus benefícios. É preciso compreender melhor esse conceito e que as pessoas se dediquem a cultivar práticas que simplifiquem suas vidas e as suas rotinas pessoal, familiar, social e profissional.

Quando não se consideram os benefícios da simplificação, é comum que todas as rotinas nas quais o indivíduo está envolvido reflitam isso. Por exemplo, há empresas (nas grandes isso é mais evidente) em que a presença de barreiras é notável. E nem sempre essas barreiras foram solicitadas pela liderança.

Ao visitar um cliente, alguém em cargo de liderança, é preciso "ser aprovado" pelo segurança na portaria, depois pela secretária, depois pelo contador, pelo advogado, pelo financeiro, que reportará o caso para conselho, e só depois haverá retorno com a determinação a ser seguida. Quanto tempo, energia e recursos isso consome!

Quando fundamos o escritório, consideramos esses entraves nas empresas em geral e decidimos que o nosso negócio não poderia repetir os erros que víamos nas outras empresas. Quando traçamos um paralelo com a nossa vida pessoal, observamos que também simplificamos em nossas rotinas pessoais. Sempre fomos pessoas simples. Claro que pode haver quem não nos enxergue dessa maneira. Mas no convívio se nota como realmente somos.

Cada um de nós é muito simples, "simples de tudo" (como diz o Michael). Somos simples nas amizades, no modo de cuidar da nossa família; em tudo somos muito simples. Michael dá como exemplo o modo como lida com a sua filha; as coisas se resolvem com um "sim" ou com um "não". São duas palavras que ela deve ter como essenciais. O pai não fica explicando muito as coisas; ela deve entender que algo "não" pode ou que "sim", pode; simples assim.

Então, simplificar é uma palavra que começamos a usar há pouco tempo, mas que já refletia ou resumia o que éramos na vida anterior à nossa sociedade nos negócios. Sempre tivemos uma relação íntima com essa palavra, mesmo cada um trabalhando na sua área. A relação com os antigos clientes expressava essa característica pessoal.

E quando falamos em característica pessoal, isso deve incluir gestos simples que indicam uma personalidade simples. Por exemplo, dar *feedback* sobre uma pessoa do nosso convívio, seja positivo ou negativo. Veja como isso é tão importante. Generalizando, dá para dizer que as pessoas têm dificuldade de elogiar, como fazer um comentário sobre a roupa bonita que o outro veste, ou qualquer coisa que se possa elogiar (gestos pessoais, apoio a uma pessoa necessitada, entre outros). Isso tem a ver com um problema pessoal que se tem com a tal simplicidade.

Só se nota e comenta coisas grandiosas, que muitas vezes é algo impessoal, feito coletivamente ou por uma instituição. Essas coisas grandiosas ficam sem uma personalidade, e, por isso, é mais fácil de as pessoas elogiarem, já que não as compromete no plano pessoal: elogia-se um grupo, uma equipe, uma empresa ou ONG. Mas experimente aplicar isso no nível pessoal e exercite-se assim, e certamente você mudará a sua experiência para melhor!

No âmbito pessoal, tendemos a criar a barreira do "não": "Não vou falar, porque...", "Não vou elogiar, porque...", "Não vou pedir, porque...". Costumamos fazer um paralelo meio louco, mas real. Ao prospectar uma empresa grande, o profissional já coloca um "não" e pensa que é difícil conquistar aquele cliente. Por quê? "Ah, porque eu preciso me aproximar de tal pessoa que eu 'acho' ser inacessível; depois, se conseguir falar com ela, tenho de levá-la para almoçar, e só aos poucos é que teremos alguma afinidade ou sinergia. Por último é que poderemos marcar uma reunião."

Ora, por que não ir diretamente a essa pessoa? Por que não ser mais simples na abordagem? Envie um e-mail, privilegie a simplicidade, a objetividade, e surpreenda! Apresente o que você acredita que pode entregar para o seu *prospect*, mostre onde dá para melhorar os resultados dele e solicite o *feedback*: isso interessa a você? Sim? Não? Obrigado.

Guardamos um traço típico do gaúcho, mas aprendemos muito com os paulistas nos últimos cinco anos. Ele se senta para fazer negócios e quer saber se o que você está oferecendo serve ou não para ele. Ele quer saber quanto irá ganhar com aquilo. O paulista não está preocupado se o seu negócio é lucrativo para você ou não, nem quanto você irá levar numa negociação. Ele quer saber se aquilo vai ajudá-lo em alguma coisa, e quanto ele terá de resultado pessoal.

As reuniões com os paulistas duram, em média, meia hora; não tem muita conversa. Já o gaúcho não é assim. O gaúcho demora para tomar uma decisão, e, depois que decidiu, o contrato é o famoso "fio do bigode", é a confiança que prevalece. Mas até chegar a ela, leva tempo.

Cada estado tem a sua particularidade, e, para cada cultura, isto é, para as empresas de cada região, é preciso entender como simplificar as coisas adequadamente, quer seja nas relações, quer seja nos processos.

Há pouco tivemos uma reunião com um empresário de São Paulo, indicação de um cliente nosso. Depois de um tempo de reunião, o dono da empresa olhou para nós e disse: "Quem são vocês? Vocês não falam de ritmo de trabalho, mas falaram que poderiam me ajudar. Então, se vocês podem me ajudar, em quanto tempo me ajudarão? Vocês não falaram nem de preço ainda! Mas eu já gostei de vocês". Isso só acontece porque dissemos, com honestidade e sem rodeios, o que ele queria ouvir.

Quantas vezes se quer apresentar toda a rotina, todos os detalhes, até incluindo coisas importantes, mas será que é isso que o cliente quer ouvir? Não, nem sempre. É preciso dizer aquilo que ele quer ouvir do ponto de vista prático – não com enganação.

Nesse caso, falamos o que de fato iria acontecer, coisas simples. Dissemos: "Vamos fazer isso, isso e isso. Isso nós podemos entregar, isso aqui não podemos entregar. O prazo que você quer eu não posso conseguir. Para tudo tem um tempo para as coisas acontecerem. Um filho demora nove meses para nascer".

A gente faz essa abordagem que leva em conta a palavra "simplicidade". Nossa empresa, a Marpa Gestão Tributária, simplifica.

Ritmo FDD: Foco, Disciplina e Determinação

> “Algumas pessoas acham que foco significa dizer sim para a coisa em que você irá se focar. Mas não é nada disso. Significa dizer não às centenas de outras boas ideias que existem. Você precisa selecionar cuidadosamente.”

– Steve Jobs
(fundador da Apple)

> “A disciplina é a mãe do êxito.”

– Ésquilo
(dramaturgo grego)

> “As pessoas não carecem de força, carecem de determinação.”
>
> – Victor Hugo
> (dramaturgo e ensaísta francês)

Foco, disciplina e determinação. Esses são os três pilares que nos guiam diariamente e que são a base de todas as nossas realizações. Deles, criamos um lema: Ritmo FDD, que nada mais é do que manter a regularidade nas nossas ações, para assim conseguirmos tudo aquilo que almejamos. Com foco, sabemos onde concentrar nossos esforços; com disciplina, organizamos melhor o nosso tempo; com determinação, temos a energia necessária para fazer acontecer.

Vamos começar com uma palavra que é conhecida por milhões de profissionais ao redor do planeta, e que usamos em nosso dia a dia para nos manter na direção certa: foco!

Acordo cedo, às 5h, e vou fazer uma atividade física. Isso acontece duas ou três vezes por semana, seja na academia, seja em outro lugar. Também jogo tênis às 6h e, aos finais de semana, sempre incluo um esporte na minha programação. Então, além do tempo com a família, a rotina por vezes alucinante do escritório, e as viagens, ainda temos que separar um tempo importante para atividades físicas.

Nessa constituição tríplice de foco, disciplina e determinação, a pessoa que não tem isso bem definido simplesmente "não acontece", não alcança o sucesso, não chega aos seus objetivos pessoais. Essas três palavras resumem perfeitamente as forças necessárias para o êxito na carreira, o que certamente trará também muita satisfação pessoal.

Isso não significa que tudo o que ela quiser será alcançado, nem que ela será a grande inovadora da vez, a empreendedora do século. Não! É preciso considerar as três forças em conjunto. Sem uma delas, é praticamente impossível evoluir, crescer e se realizar.

Vivemos em um mundo que é o mais competitivo de todos os tempos. Isso faz do foco essencial para nos destacarmos em meio à multidão. Nós, como empreendedores, simplificamos, e isso não veio por outro motivo senão pelo fato de que focamos nessa necessidade. E conseguimos!

Quando montamos o escritório, concentramos nosso interesse em uma matéria específica, não em várias, e elas existem. Outros escritórios, que podem ser nossos concorrentes, são normalmente compostos por pessoal da área do direito empresarial, que atende processos trabalhistas, e cível, relacionado às questões dos consumidores. Não temos nada contra os outros ramos do direito – cada um faz aquilo que se sente vocacionado a fazer. Nós recebemos convites e solicitações para cuidar das áreas trabalhista e cível de alguns clientes, mas recusamos por entender que o nosso negócio era mesmo o tributário. Isso é foco, e o nosso foco foi em tributário desde o início. Por isso, estamos sempre nos aperfeiçoando para ser os melhores nisso!

Para não ficar só no exemplo do direito, vale ressaltar que há pessoas focadas (ou especializadas) em todas as atividades ou categorias profissionais. Veja na medicina, por exemplo. Com a popularização dos planos de saúde, quase não buscamos mais um clínico geral; procuramos o profissional especializado naquilo que estamos sentindo. Se estamos, por exemplo, com uma contusão, buscamos o ortopedista. Se estamos com dor de estômago, um gastro. Isso é foco: do paciente e do profissional de saúde. A palavra na área médica é "especialista", e ela nada mais é do que o foco em algo específico.

Entendemos a necessidade de ter foco para nos tornarmos referência no tema perante o mercado. Quem quiser resolver assuntos da área tributária deverá procurar um especialista nela. E quem se dispõe a resolver problemas de empresas nesse segmento tem de entender da matéria de que trata.

Assim como o Eduardo, também acordo às 5h e tenho uma rotina diária de exercícios. Musculação, boxe e ciclismo estão entre as minhas preferências. Como sabemos, praticar atividade física ajuda a equilibrar mente e corpo e promove qualidade de vida. Isso tudo faz parte da cultura que queremos passar para nossos clientes e colaboradores. Para manter uma rotina de exercícios físicos, é preciso ter determinação. E essa força de vontade se reflete em todos os aspectos da vida, inclusive nos negócios.

Pretendemos ajudar nossos clientes, dar a eles o caminho, o norte, e, se surgir algo que não sabemos dentro da nossa especialidade, vamos estudar juntos, trazer para o nosso time profissionais que conseguirão resolver qualquer questão. Vivemos do direito tributário e não queremos que nossos clientes tenham de recorrer a outros profissionais, de fora do nosso escritório, para resolver seus problemas.

Já vimos empresas que começaram com direito trabalhista, migraram para o direito tributário, no outro dia estavam com ações na área cível, depois na Polícia Federal tentando resolver os problemas de seus clientes. Essas empresas estarão, em breve, atuando no direito ambiental, e nunca se especializarão em nada.

Conosco é diferente. Nosso negócio é a parte tributária, e o cliente sabe o que vai encontrar, porque esse é o nosso foco. Entendemos que é preciso levar essa percepção para as empresas que atendemos e para as que iremos atender. Entendemos que nossos clientes precisam ter a segurança de que estamos empenhados em sermos os melhores, para que eles também tenham a convicção de que estão nas mãos dos melhores profissionais do segmento.

Mesmo a pessoa sabendo que é preciso se concentrar numa direção, a palavra tem tanto poder que pode dar a uma pessoa a sensação de ter acertado na escolha do caminho no qual deverá empregar suas forças, energias e conhecimento. Em determinados segmentos, a exigência pelo nível de especialização pode ser ainda maior, e será preciso estar atento para essa possível armadilha. Uma vez identificada essa característica da área em que o profissional atua, é preciso saber dizer "não" para coisas que se parecem ser o objeto do seu foco mas, na realidade, não são.

Nisso vemos a necessidade de maior conhecimento do próprio negócio e das próprias habilidades, além de saber fazer escolhas e tomar decisões rapidamente, dizendo "isso não me serve" ou "isso me serve". "É *sim* para isso, é *não* para aquilo." O foco funciona como a base, o fundamento para a disciplina e a determinação. Tendo o foco, que é a direção a ser seguida, precisamos ter disciplina para fazer acontecer. Mas a disciplina não é um padrão universal que toda e qualquer pessoa adota na vida para solucionar seus problemas. Cada pessoa precisa conhecer a si mesma, conhecer seu negócio, saber como é a dinâmica das suas atividades e, a partir disso, disciplinar-se para que as coisas comecem a acontecer.

Pode ser que a disciplina que adotamos, quer pessoalmente, quer em nosso escritório, não funcione para outros profissionais, nem para outros negócios.

É bacana ter a experiência que temos, de carregarmos essa característica e os nossos clientes notarem isso. Quando a gente fez a inauguração da nossa nova sala, ouvimos um colaborador comentando sobre isso. Ele disse: "Quando o Michael e o Eduardo querem alguma coisa, eles colocam aquilo no papel e fazem com que se torne realidade". E é isso mesmo que a gente faz: as coisas acontecerem. Este livro é um exemplo.

Em 2016 chegamos a comentar algo sobre fazer um relato da nossa trajetória, em tom de brincadeira. Colocamos aquela ideia diante de nós, mentalizamos – só não escrevemos em uma folha de papel –, e o fato é que aquele sonho se concretizou.

Por fim, a determinação é como um propulsor que faz a pessoa se mover em uma direção. A direção é ditada pelo foco e mantida pela disciplina. É por meio deles que se sabe a direção a seguir. Mas apenas saber a direção a seguir não nos move, não nos tira do lugar, ou, como se diz hoje, da zona de conforto.

A pessoa pode ter tais características mas não ter a iniciativa, ou seja, a determinação de se levantar e fazer o que deve ser feito. Nós temos determinação em nossas vidas pessoais; desde a questão da prática de esportes até separarmos tempo de qualidade ao lado da família, isso é uma marca que nos distingue. Para levarmos esse nosso traço para a vida profissional foi um salto, é algo natural em nossa experiência.

Então, a determinação – das três palavras – é a força que dá a propulsão, como uma turbina a jato, que não é a maior peça de uma aeronave, mas é dela que sai a energia que coloca aquelas toneladas todas suspensas em pleno ar.

Assim, continuando essa metáfora do avião em decolagem, o *foco* é o plano de voo que o comandante prepara, *disciplina* é a regularidade nas ações de rotina e *determinação* é a turbina em funcionamento para colocar a aeronave no ar.

Nesse tripé de palavras – foco, determinação e disciplina – não há espaço para o "talvez". Essa é uma palavra que não combina com o que estamos dizendo. Quando há foco, somente duas palavras podem servir aos nossos objetivos: sim, para se executar, e não, para não executar. Isso é foco.

Coragem

> “Às vezes, tudo de que você precisa é de vinte segundos de coragem insana, e algo grande virá disso.”
>
> – Benjamin Mee
> (escritor australiano)

É interessante notar o modo como enxergamos a conexão ou a aplicação dos conceitos ou princípios que adotamos na vida pessoal, profissional e no escritório. Veja, por exemplo, a palavra que dá o título a este capítulo: *coragem*. O conceito de palavra se interliga, de forma simultânea, a outros conceitos necessários para se obter êxito em tudo.

Entendemos que a ideia de coragem parece ser como o primeiro vagão de uma locomotiva: ele puxa os demais vagões – os outros princípios que temos ou conceitos que defendemos – que irão formar a composição, ou seja, o trem.

No primeiro vagão dessa locomotiva, estamos nós dois, e estamos aqui porque reconhecemos que temos coragem – ou tivemos coragem para empreender de modo disruptivo. Do contrário, não teríamos nem sequer começado esse escritório, não lideraríamos a equipe que lideramos nem poderíamos ter desenvolvido os serviços que prestamos aos nossos clientes.

Falar sobre ter coragem pode ser ou parecer uma questão ambígua para muitos de nossos leitores. Mas podemos explicar em uma frase: para nós, ter coragem passa por *ter foco*. Sabemos que ter foco é difícil para algumas pessoas. E não depende da situação atual ou de uma ou outra fase da vida. Depende de conjunturas diferentes umas das outras. Mas ter foco, em todos esses casos, é uma decisão pessoal. No entanto, essa decisão poderá esbarrar numa situação adversa do seu cliente, da sua equipe, que pode ou não ter atingido a meta proposta, entre outras variantes.

Uma situação simples, mas que pode acontecer com muita naturalidade e tirar o foco do empreendedor, é a falta de caixa. Como manter o foco quando isso acontece? E pode acontecer diversas vezes na jornada de um profissional liberal. Nesses momentos, ele será testado em sua coragem para não desviar o foco do seu negócio principal, nem poderá desistir, porque a solução do problema poderá estar logo adiante, num novo contrato ou numa potencial – e breve – entrada de caixa. Assim, é preciso ter coragem para sustentar o desconforto por não ter à mão o recurso para fazer o negócio "girar".

Especialmente no Brasil, enfrentamos muitas adversidades e, por isso mesmo, devemos ter coragem para insistir no foco. A razão para isso é lógica: no momento em que você escolheu perseguir determinado foco, a situação, o contexto ou a conjuntura provavelmente não eram de adversidade. Havia elementos favoráveis que lhe permitiram visualizar a possibilidade de êxito, de sucesso, de crescimento. Assim, é preciso coragem para sustentar aquilo que você enxergou ou soube existir, mas que agora, um tempo depois, parece estar mais distante – mas não está. É só uma turbulência. Logo o tempo ficará claro e o horizonte reaparecerá, caso você tenha coragem de insistir.

Então, quando surgir um contratempo, é preciso ter coragem de manter o curso, o foco. Muita gente não rompe a barreira da dificuldade, porque desiste assim que o primeiro problema surge.

Nossa cabeça funciona à procura de caminhos mais fáceis, de atalhos, de conforto. Aquilo que mais nos conforta pode servir de base para a tomada de decisão, porque não estamos acostumados a tomar decisões que nos tirem da zona de conforto, salvo em certas ocasiões específicas.

Devemos permitir que a vida nos desafie. Sobre isso, há uma frase do ator norte-americano Johnny Depp que exemplifica bem: "Você nunca sabe o quão forte você é até que ser forte é a única opção que lhe resta". Isso explica o que é ter coragem.

Se há uma tendência de os seus concorrentes entrarem em determinado mercado ou segmento, pode ser que o "efeito manada" determine a tomada de decisão de abandonar seu foco e seguir os demais. Pode-se até argumentar que há uma oportunidade boa nesse mercado novo no qual muitos estão entrando, mas será que ele está seguindo seu foco? Será que a debandada de tantos não poderá favorecer quem tiver coragem de permanecer ligado ao seu foco original? Somente aqueles que tiverem coragem de perseverar é que poderão responder com 100% de precisão a essa pergunta. Eis a vantagem e o diferencial daqueles que têm coragem.

Portanto, a coragem é uma virtude, uma qualidade pessoal que se aplica à tomada de decisão em toda e qualquer área das nossas vidas. Isso vale para traçar a jornada profissional, decidir o segmento no qual irá atuar, escolher os colaboradores que serão contratados quando for necessário e também para fazer alterações na equipe e até demitir, caso a situação exija.

Tudo, no final das contas, demandará coragem para uma ação, e essa ação deverá ser orientada pelo foco que você decidiu seguir. Por vezes, até a decisão de se distanciar da família ou dos amigos, como no caso de viagens a negócio, envolverá um grau de coragem. Abrir mão desse conforto por um bem que em breve fará com que você, sua família e amigos desfrutem maior tempo juntos também exige firmeza.

Como vimos, a própria escolha de um foco – e não de outro – exige coragem. Por isso, consideramos que essa característica, ainda na metáfora da locomotiva que puxa os vagões, é a própria locomotiva, ou seja, aquele componente que produz o movimento para os demais vagões da composição.

Da coragem que o empreendedor tem dependem muitas pessoas. O empreendedor que tem cinquenta colaboradores diretos, por exemplo, tem atrás de si pelo menos três vezes mais pessoas do que isso dependendo de suas decisões, uma vez que cada colaborador tem pelo menos três pessoas na família. Então, devemos perguntar: precisamos ou não ter renovada a nossa coragem a cada manhã? Sim, pois temos uma responsabilidade muito grande sobre todas essas pessoas. É também essa responsabilidade que nos leva a acordar cedo todos os dias: saber que tem muita gente dependendo de nós e da nossa coragem.

Resiliência

> Ser resiliente significa ser flexível, mas ter autoconfiança. Saber aprender com a atitude dos outros, sem perder a própria essência!
>
> – Marcello Cotrim
> (terapeuta e metafísico brasileiro)

Resiliência é outra palavra que guarda um conceito que devemos perseguir e cultivar em nossa experiência de vida. A palavra é própria da física, da área de produtos, mas, nos últimos anos, a utilizamos para designar o comportamento de algumas pessoas diante de um problema ou obstáculo. A rigor, resiliência é a propriedade que alguns corpos apresentam de retornar ao estado ou forma original após serem submetidos a alguma deformação, pressão ou impacto que os altere.

A resiliência, como capacidade de superação de obstáculos no mundo profissional, é um conceito que vem da psicologia. Diz respeito à pessoa que sofreu um trauma e precisa voltar ao estado emocional normal. No caso do mundo empresarial em que transitamos, a resiliência é a superação de todos os obstáculos que surgem no dia a dia. E esses contratempos são de naturezas diversas, desde aqueles que envolvem aspectos emocionais até os de complexidade profissional, como nas relações sociais ou na solução de problemas de ordem jurídica ou tributária, como é o nosso caso. Nós, que estamos no mundo dos negócios, devemos ter resiliência e estar preparados para quando surgir a necessidade de empregar essa virtude – e ela surgirá a qualquer momento, e nem sempre numa área que poderemos prever.

Como disse Augusto Cury: "Se alguém lhe bloquear a porta, não gaste energia com o confronto. Procure as janelas". Assim, como pessoas resilientes, nunca nos damos por satisfeitos. Sempre acreditamos que podemos melhorar, que podemos tentar modificar algo mesmo que esteja funcionando.

Já enfrentamos muitos obstáculos e alguns dissabores no caminho, e a melhor decisão que tomamos foi contornar essas situações. Temos nosso foco bem determinado e sabemos o que queremos. Assim, ao nos depararmos com um obstáculo, não costumamos perder de vista o foco, porque sabemos o que deverá acontecer se seguirmos nossa determinação. E as coisas acontecem justamente porque não desistimos, mantemos o foco, preservamos a coragem e temos resiliência.

Por isso, ser resiliente, para nós, é mais do que "voltar ao estado original", como na definição dada pela física. Ser resiliente é sempre tentar melhorar, é buscar o melhor para nós, nossos colaboradores e nossos clientes, independentemente daquilo que possa acontecer contrariamente a essa determinação.

Além disso, buscamos o melhor, mas não nos contentamos com pouco. Valorizamos nosso resultado, aquilo conquistamos até aqui depois de poucos anos do início da nossa sociedade, mas estamos de olho em como será daqui a cinco anos, daqui a dez anos e assim por diante. Não há acomodação em momento algum, e isso, para nós, também se chama resiliência – e resiliência antecipada, porque sabemos que haverá mais e mais obstáculos para enfrentarmos.

Não nos damos por satisfeitos. O "não" que ouvimos hoje logo se tornará o "sim". Mas será um "sim" com sabor diferente, porque para ouvi-lo fomos desafiados, e isso nos leva a uma revisão do que já dissemos: ter foco, coragem, determinação e disciplina. Do contrário, não sairemos do "não".

A resiliência também deverá nos levar a um olhar para dentro, a uma autocrítica necessária a todo profissional competente, a todo profissional que quer evoluir.

Todos estamos sujeitos ao erro, por razões diversas. A acomodação e a autossuficiência não são boas conselheiras para pessoas como nós. Então, quando identificamos um erro pessoal, não importa a área em que ele tenha acontecido, imediatamente tentamos corrigir. E a correção, assim como a retomada, deve vir rapidamente. Pensamos que é preciso tentar um distanciamento do problema, mas não deixamos para o próximo mês a correção dele. Diante do problema, tente manter distância para enxergá-lo melhor e, então, aja rapidamente para corrigi-lo.

Temos considerado que o conceito de resiliência é de fácil absorção no mundo dos negócios. E podemos citar casos que ilustram bem o que estamos querendo dizer. Tivemos muitos dissabores com nossos próprios colaboradores. Um deles, por exemplo, quis entender como funcionava nossa operação para depois tentar fazer algo parecido. Isso parece ser algo comum a todo e qualquer segmento. Pode parecer fácil tentar "pegar a nossa viola", mas daí a saber tocá-la como nós tocamos existe uma longa distância.

Trabalhamos com uma equipe na qual confiamos. Aqueles que estão conosco hoje é porque merecem nossa credibilidade. Mas todos estão sujeitos a mudar de ideia, mudar a cabeça e tentar "cantar a nossa canção", tentar "tocar a nossa música" ou fazer um cover daquilo que nós fazemos. No final das contas, não será o original, não seremos nós, nem o nosso trabalho, nem a nossa empresa.

Consideramos essa situação, muito comum, também um aspecto do conceito de resiliência. Enfrentar um dissabor no meio do caminho pode levar alguns à desistência ou, no mínimo, a um profundo desânimo, que poderá afetar o trabalho, atrasando ou tirando o foco que a pessoa tem no negócio. Nesses casos, o que fazer? É preciso ter coragem e capacidade de ser resiliente, acreditando que efeitos dessa natureza acontecem para que melhoremos nosso desempenho, aumentemos nossa capacidade e tenhamos experiências que de outro modo não teríamos.

A história de um "perrengue" e o *networking*

Certa vez, quando estávamos conversando sobre nosso *networking* e sobre nossas primeiras viagens pelo Rio Grande do Sul, notamos que não tínhamos o tal do Q.I., ou o "quem indica", para facilitar o acesso e a entrada em um novo cliente. Como não tínhamos quem nos indicasse, era preciso causar uma boa impressão. Então, alugávamos um carro e um motorista para melhorar nossa apresentação.

Em determinada ocasião, nosso consultor marcou uma reunião que, na realidade, era uma "roubada", e, quando saímos dela, encontramos nosso motorista conversando com uma pessoa. Ela havia perguntado a ele o que estava fazendo ali, e ele respondeu que estava carregando uns "doutores aí". Ele nem sabia que, naquela época, o Michael não era advogado. A pessoa começou a perguntar mais sobre nós, e ele respondeu que nosso trabalho era cuidar da parte tributária das empresas.

Então, ela disse: "Acho que tenho um cliente para eles". A pessoa, naquele caso, era o gerente de uma locadora de veículos. Quando entramos no carro, nosso motorista disse: "Um conhecido meu passou por aqui e gostaria de conversar. Vocês teriam interesse em falar com ele?". A gente nunca diz "não" para contatos e prospecção, então decidimos ir. Afinal, em uma conversa não se perde nada.

Chegamos à locadora e começamos a explicar nosso trabalho para o gerente. O resultado dessa história é que ele não só fechou conosco, como também nos levou a outros potenciais clientes no mesmo dia! Aquela situação foi facilitada por um novo "Q.I.", o nosso próprio motorista, que nos abriu as portas para três novos clientes num só dia.

Fomos às reuniões sem muita perspectiva, já que os negócios, aparentemente, não tinham muito o nosso perfil. Até a uma academia ele nos levou! Como estávamos começando, não podíamos recusar. E, de fato, fechamos com a locadora, fizemos o trabalho, ganhamos mercado e voltamos para casa.

No entanto, meu casamento estava marcado para a semana seguinte. Como sou professor, brincava dizendo que faria a lua de mel em duas etapas, metade naqueles dias e a outra metade no final do ano. Mas o principal, naquele momento, era apresentar o trabalho para o novo cliente. Eu embarcaria no dia seguinte à apresentação. Claro que estava preocupado, pois temia que algo desse errado na viagem. Mas o medo de perder o negócio era enorme, pois o que estava em jogo eram quase R$ 1 milhão em honorários!

Apresentamos o trabalho que deveria ser feito, e o contador da empresa acabou roubando nosso projeto. Mas não podíamos recuar àquela altura. O proprietário do negócio tinha nos apresentado a outras empresas. Já eram cinco horas da tarde, e eu tinha que viajar no dia seguinte, mas nem sequer tinha arrumado as malas. E a gente ali, na reunião, batendo boca, chamando o advogado para entrar no caso, uma loucura!

Em resumo: fomos enganados por aquele empresário, levamos um golpe do contador e do advogado. Tive que sair correndo para conseguir chegar a tempo de viajar, mas não deixamos de fazer negócio com a pessoa que nos indicou muitos clientes na cidade. Até hoje, ele é um parceiro e amigo e sempre nos indica pessoas que acabam se transformando em clientes.

Sempre que lembramos essa história, brincamos sobre como chegamos longe no que diz respeito ao *networking*. Começamos com um motorista, que nos indicou o gerente de uma locadora de carros, e por aí vai. Fechamos muitos contratos por indicação dele e de muitas outras pessoas – e fomos enganados apenas uma vez. Mas veja como é a vida. Passado um tempo, o contador que nos deu o golpe acabou fazendo um péssimo trabalho para um outro cliente para quem, atualmente, trabalhamos. O mundo dá voltas, e quem faz o bem recebe o bem. Não baixamos a cabeça e continuamos fazendo o bem para recebermos o bem.

Perrengue nós enfrentamos todos os dias. O empresário que tem medo de passar por situações como essa deve saber que existem riscos desde cedo, quando nos levantamos da cama. Podemos escorregar e bater a cabeça, podemos colidir com algo, podemos dormir e não acordar mais. Por isso, é preciso não ter medo. Temos que acreditar, ter fé na nossa resiliência e confiar no aprendizado. Do problema vem a solução – e quem acredita vai realizar grandes coisas.

A importância de decidir

> “Nada é mais difícil e, portanto, tão precioso do que ser capaz de decidir.”
>
> – Napoleão Bonaparte (estadista e líder militar francês)

Um dos momentos ou circunstâncias mais importantes no mundo dos negócios é o da tomada de decisão. É nessa hora que não se pode titubear. Arriscaríamos até dizer que é o momento de demonstrar a coragem que se tem, o foco definido previamente e o tempo de fazer acontecer. A tomada de decisão está interligada a todas estas palavras: foco, disciplina, coragem, determinação e conhecimento.

Anthony Robbins, escritor e estrategista norte-americano, disse: "Decidir comprometer-se com resultados de longo prazo ao invés de reparos de curto prazo é tão importante quanto qualquer decisão que você fará em toda a sua vida".

Na vida pessoal, a todo momento temos que tomar decisões de maior ou menor importância. Deliberamos a toda hora, desde o instante em que nos levantaremos da cama até o horário em que finalizaremos o trabalho e descansaremos. Entre uma coisa e outra, tomamos inúmeras e variadas decisões.

Não existe empreendedor sem que seja exigida dele a tomada de decisões. E ele estará exposto a essa necessidade a todo momento. No nosso caso, quando estamos diante de um cliente em uma reunião, temos de decidir rapidamente, levando em conta a informação colhida naqueles minutos e o que a situação exige. "Fecho ou não fecho esse contrato?", essa é uma pergunta que nos fazemos a cada reunião, uma vez que, a cada novo contrato, uma etapa de nossas vidas se desenrolará e, com ela, a nossa própria vida, as dos nossos colaboradores (e suas famílias, como dissemos) e as dos nossos clientes.

Dizem que há três coisas que não voltam mais: a flecha lançada, a palavra dita e a oportunidade perdida. Quantas vezes perdemos uma oportunidade porque não tomamos uma decisão certa? Seja na vida pessoal, profissional, seja para a empresa, perder tempo para tomar uma decisão pode significar a perda de uma grande oportunidade.

A Kodak, fabricante de máquinas fotográficas e filmes, é um caso clássico no mundo empresarial. A direção da empresa imaginou que as câmeras embutidas nos aparelhos celulares não teriam alta precisão e jamais se tornariam o que são hoje: uma febre popular. A companhia tomou a decisão errada, retardou sua entrada no segmento e acabou na bancarrota.

Tomar uma decisão é algo que exige certa rapidez. Não quero dizer que deva ser feito com base num impulso, de maneira irresponsável, sem que se tenha à mão conhecimento de dados concretos capazes de sustentar o veredito. Não é isso. Há empreendedores que protelam decisões mesmo depois de reunir os dados e as informações de que necessitam. Com isso, emperram processos que poderiam ser exitosos e até espetaculares. Estou me referindo aos casos em que temos os subsídios necessários. Em situações assim, deve-se agir rápido, para não perder a oportunidade.

Essa agilidade passa pelo conhecimento que cada empreendedor tem do seu ramo de atividade. Somente quem está mergulhado naquilo que faz, quem conhece as entranhas do seu negócio, reúne condições satisfatórias para agir com rapidez, uma vez que domina os fatores que farão a diferença frente ao seu concorrente, que não está tão envolvido. Lembre-se de que não basta ser bom naquilo que você faz; seja resiliente e procure sempre melhorar. Seja melhor, melhore as condições para a sua equipe, melhore os processos e traga melhores resultados para os seus clientes e parceiros.

Mesmo no caso de reunir as informações necessárias e decidir de maneira equivocada – o que é admissível no mundo empresarial –, é preciso ter resiliência e foco para corrigir o erro. Nesses casos, é preciso, mais uma vez, agilidade para absorver o impacto e tomar a decisão de corrigir o equívoco. É o que esperam de nós os nossos clientes, os acionistas (em alguns casos) e os colaboradores.

Durante uma entrevista, Guilherme Benchimol, fundador da XP Investimentos, disse que o empreendedor, líder, ou qualquer pessoa nessa condição precisa tomar decisões todos os dias. Caso contrário, "ferrou". Mas só alcançará sucesso aquele que conseguir entender que tomou a decisão errada rapidamente e redirecionar as coisas na direção que julgar ser a acertada. Então, o autoexame da decisão tomada é importante para o redirecionamento, caso ele seja necessário, e outra decisão rápida é fundamental em situações como essa.

Desse modo, podemos dizer que o crescimento profissional está ligado à capacidade de tomar uma decisão – e de tomá-la com rapidez.

Quando o mundo parou, em 2020, por causa da pandemia de Covid-19, tomamos uma decisão muito rápida, como já dissemos no início do livro. Redirecionamos imediatamente nosso foco de ação e soubemos explorar isso para que o negócio não sofresse com aquele novo cenário. Nossa agilidade foi fundamental para a saúde do negócio. Esperamos que você também tenha coragem e habilidade para usá-la tão logo isso for exigido de você.

Recorrendo, mais uma vez, ao Benchimol, lembro-me de que certa vez ele contou que a sua vida começou a deslanchar quando entendeu que todos os problemas que o cercavam eram de sua responsabilidade. A partir daquele momento, a solução das adversidades foi simplificada, pois bastava encontrar o caminho certo – e isso não é outra coisa senão decisão.

Quando temos ciência de que tomar decisão é a coisa certa e esperada a se fazer, por que esperar para fazê-lo? Não é preciso que alguém venha e o pegue pela mão ou diga algo que já é sabido. Pode acontecer de o líder querer se aconselhar para ter mais firmeza, mas o foco não deixará de ser a tomada de decisão – essa é a atitude esperada. Se ela vai para um lado ou para outro, é apenas um detalhe de cada contexto, de cada negociação. Mas, se o foco diz que aquilo é a coisa certa a se fazer no momento, não há razão para protelar.

Dinheiro: o fio condutor do ciclo de crescimento

> O dinheiro não traz felicidade – para quem não sabe o que fazer com ele.
>
> – Machado de Assis
> (escritor brasileiro)

A relação de muita gente com o dinheiro é problemática. É interessante e curioso que seja assim, uma vez que estamos em um país capitalista, e o lucro, o recebimento monetário por algo lícito que a pessoa tenha feito, deveria ser visto como algo natural.

Ganhar dinheiro nunca foi crime – quando isso acontece como resultado de trabalho honesto. O dinheiro é a consequência de tudo o que fazemos, direta ou indiretamente. Ele vem como resultado das nossas realizações.

Quando escolhemos uma profissão, naturalmente estamos decidindo por seguir uma vocação pessoal e avaliando quanto pretendemos ganhar, tomando por modelo profissionais que já estão no mercado com carreiras consolidadas. Isso vale para as mais diferentes profissões, dos atletas aos empreendedores, dos contadores aos vendedores. Evidentemente, há outros fatores que interferem na escolha de cada um.

Todos nós queremos ser os maiores e os melhores. Mas a excelência na profissão, e com ela os ganhos mais elevados, só se alcança com trabalho duro. Não vemos o dinheiro apenas como meio de enriquecer. Isso é mesquinho, e não acreditamos que a nossa relação com o dinheiro deva ser nessa base. Ao contrário: vemos o dinheiro como oportunidade de fazer coisas maiores para mais pessoas do que apenas nós, os sócios.

Podemos investir no país, por exemplo. E como fazemos isso? Uma maneira é gerar empregos, direta ou indiretamente, entre muitas outras. Quando abrimos um novo escritório, quando ampliamos nossos negócios, fazemos investimentos nas pessoas, na economia e no país. Quando geramos renda e pagamos impostos, atingimos áreas como educação, segurança, saúde e infraestrutura. Assim, novos empregos são criados e famílias são capazes de prover o seu sustento.

Então, como se pode encarar o ganho como algo ruim? Acabe com essa imagem distorcida sobre ganhar dinheiro. Na pior das hipóteses, se não trouxer sossego ou paz, ainda assim, o dinheiro é capaz de aproximar a mão de obra e gerar empregos, movimentando uma cadeia cíclica, que está interligada, como num efeito dominó, e que melhora a vida de muita gente.

O dinheiro é a consequência de uma atividade que exercemos, e essa consequência é rápida, lícita e honesta. Dinheiro é bom, porque ele nos ajuda a realizar coisas pessoais e profissionais. Em alguns casos, é ele que nos mobiliza à ação, ao empreendedorismo. Com dinheiro, podemos ajudar a nossa família e as pessoas próximas, pessoas desconhecidas, que, por sua vez, ajudarão outras, formando uma rede do bem. Não precisamos ter vergonha de dizer que ganhamos bem; temos que parar com essa ideia falsa. Os norte-americanos e os ingleses usam muito bem o dinheiro, e fazem isso há séculos. Na Inglaterra, os súditos da rainha batem palmas para a família real, que é bilionária. Precisamos mudar a mentalidade que ainda não alcançou a grandeza desse modelo econômico no qual vivemos, que gera riqueza e melhoria de vida para milhões de pessoas.

No início do nosso negócio, tivemos de alugar carros para visitar clientes. Hoje, temos bons carros e alguns clientes em outros estados, e os visitamos de avião próprio. Por que deveríamos sentir vergonha disso? Acreditamos que as pessoas deveriam se inspirar naquilo que alcançamos e admirar nossos feitos, afinal, eles são a prova de que é possível partir do pouco (ou do nada) e atingir um patamar elevado, que muitos querem, mas que poucos têm coragem de admitir.

Lidamos de maneira saudável com a aquisição do dinheiro, porque temos empregado bem tudo que ganhamos. Os recursos que adquirimos não são desperdiçados em jogos de azar e não desabastecemos nossas famílias para gastar ostensivamente em coisas supérfluas. Ao contrário: nós o aplicamos bem e o multiplicamos. Fazemos o dinheiro trabalhar para nós e gerar mais recursos para melhorar a saúde financeira de empresas que, por sua vez, investirão mais em seus próprios negócios e gerarão mais e mais empregos, para que mais pessoas e famílias sejam beneficiadas. O dinheiro não só é bom por várias razões, mas também porque nos motiva. Com dinheiro (ou pelo dinheiro), os líderes e empreendedores motivam suas equipes, ampliam seus negócios, geram mais fluxo de caixa e assim sucessivamente. Então, consideramos que o dinheiro é uma consequência positiva do trabalho lícito, que cria um fio condutor para um ciclo de crescimento no qual os envolvidos sempre poderão melhorar suas condições de vida.

Também acreditamos que é preciso priorizar a circulação do dinheiro. Ele precisa migrar de um negócio para outro, de um segmento para outro, até fazer movimentar a economia do país. A retenção e o acúmulo não são benéficos, porque deixam pessoas fora da rede por onde ele passa. E falamos isso pensando desde nas empresas pequenas – da padaria da esquina ao mercadinho do bairro – até nas grandes corporações – os atacadistas e as multinacionais, por exemplo. É nesse sentido que entendemos que o dinheiro é algo precioso, porque, quando vamos ao mercado comprar algo para comer, usamos os nossos recursos. A consequência disso é, na prática, o conceito de circularidade, ou seja, fazer o dinheiro chegar a outras pessoas, beneficiando-as. O dinheiro segue uma trajetória para, então, voltar para nós.

A partir do momento em que ele não circula, não passa de mão em mão, começam as crises. Existe crise?

Sim, mas em geral ela não surge por conta própria. Ela só entra em cena em decorrência de um evento incomum – como pandemia, alta do dólar, corrupção etc. –, que faz com que as pessoas deixem de consumir regularmente e retenham dinheiro. Assim, a roda deixa de girar, e as crises se instalam.

Outro aspecto dessa questão é quando as pessoas evitam valorizar a si mesmas por medo de se expor. Elas obtêm bons resultados, entregam mais do que foram contratadas para fazer, mas, na hora de se valorizarem e se recompensarem por isso, dizem que não querem se expor, não querem dar a impressão de terem sido bem remuneradas pelo bom trabalho que fizeram e outras desculpas dessa natureza. Assim, deixam de se vestir melhor, de andar com um carro melhor, de morar em uma casa ou apartamento melhor e até de frequentar um bom restaurante, mesmo tendo condições para isso (e podendo, dessa forma, movimentar a economia), simplesmente porque não conseguem romper essa barreira cultural de que ser bem remunerado por um bom trabalho não é algo natural e desejável.

Portanto, faça como nós: afaste essa ideia errada de uma vez por todas e trabalhe duro para merecer uma boa remuneração. Quando o dinheiro chegar à sua mão, desfrute-o com a moderação necessária, merecida, e devolva ao mercado o que ele precisa para manter a roda da fortuna girando e para levar prosperidade a outras pessoas também!

Confiança

"Aquele que não tem confiança nos outros não lhes pode ganhar a confiança."

– Lao-Tsé

(filósofo e escritor da China Antiga)

A palavra, bem como a ideia de confiança, surge na vida de uma pessoa desde cedo, a partir do momento em que nasce. Logo que ganha vida, a criança precisa ter confiança na mãe e no pai, que serão os responsáveis pelo seu cuidado e nutrição, por sua proteção e por muitas das coisas que acontecerão a ela nos anos seguintes. Então, aprender a confiar (e até a depender) é uma das primeiras e maiores lições que o ser humano assimila desde cedo.

Algumas ideias embutidas no conceito de confiança, como entrega, reciprocidade e lealdade, nem sempre são levadas a sério nas relações comerciais que estabelecemos. Já sentimos isso na pele, quando esperamos que as pessoas tenham confiança em nós na mesma medida em que confiamos nelas. Mas nem sempre é assim que acontece. E isso se dá até mesmo em um ambiente de equipe, onde todos deveriam estar focados na mesma direção e em busca dos mesmos objetivos.

Esse laço ou sensação que se estabelece em torno da confiança é o mais forte que existe, de todos os conceitos que mencionamos. E é assim, porque uma vez em que o ciclo da confiança é quebrado, a relação estremece e, em alguns casos, termina. Há um exemplo sobre isso que usa como metáfora uma folha de papel. Amasse uma e tente fazê-la ao seu estado original. Não é possível, nunca mais aquela folha será a mesma. Assim é com a quebra de confiança.

No nosso negócio, Michael e eu temos uma relação de confiança mútua. Ela não se dá apenas no nível profissional, evidentemente. Nós nos abrimos mutuamente até sobre coisas pessoais e familiares, que vão muito além das questões do trabalho. Nossa relação profissional, entremeada pela confiança, propiciou a criação de uma amizade sincera entre nós e as nossas famílias, algo que só é possível quando há grande confiabilidade entre as partes.

A consequência disso é que esperamos que os nossos colaboradores também ajam (ou devem agir) dessa maneira entre eles e conosco. Quando acontece de um dos nossos colaboradores vir até nós precisando de ajuda, confiamos tão sinceramente no que aquela pessoa nos traz que acabamos prestando a ajuda de que ela necessita sem muitos questionamentos. Isso só é possível porque estamos habituados a cultivar relações nesse nível.

Infelizmente, em algumas situações, nos decepcionamos. Isso é muito ruim, já que pode influenciar nossa percepção a respeito de pessoas que poderão nos solicitar ajuda futuramente. A quebra de confiança no passado pode impedir que ajudemos aqueles que estão precisando de nós no futuro.

Na relação que temos com nossas famílias, cônjuge e filhos, cultivamos esse princípio de que a confiança que se cria desde o nascimento precisa permanecer entre nós à medida que crescemos. Hoje, adultos, podemos dizer que, em casa, conseguimos preservar esse vínculo. E o resultado natural é que levamos essa mentalidade para as nossas relações pessoais, especialmente na empresa. Nos esforçamos ao máximo para manter esse princípio com os nossos colaboradores e clientes.

Consideramos tão fundamental esse aspecto que podemos chegar ao ponto de dizer que aquilo que temos dito e feito pode ser conferido no contrato que assinamos. Por isso, se a pessoa que está conosco não confiar em nós, as coisas não sairão bem, tenderão a dar errado, uma vez que tudo o que falamos está firmado e escrito em contrato. Assim, não há alternativa à confiança quando nos relacionamos. Nós a conduzimos como traço pessoal desde a infância, desde a formação em nossas famílias.

Como a raiz da confiança está na relação familiar e se estabelece desde o nascimento, é natural que, para o adulto conseguir desenvolvê-la em relação às pessoas à sua volta, seja preciso acreditar em si mesmo. Mas, para ter confiança em si, é preciso ter êxito, ter algum sucesso naquilo que se faz, pois somente os acertos, as ações bem-sucedidas e as nossas vitórias e conquistas poderão fortalecer em nós a autoconfiança.

Se temos um plano, uma ideia a ser implementada ou um projeto promissor, a pessoa que está ao nosso lado precisa confiar nisso. E, para poder confiar, ela deverá ter algum histórico de sucesso. Quando vemos que há algo positivo e promissor a ser feito, temos uma sensação boa, e a confiança que isso nos traz é ainda maior e nos deixa satisfeitos e confiantes, porque temos um histórico de sucesso para sabermos que aquilo acontecerá e será bom para muitos. É como diz a sabedoria judaica: "O homem que tem confiança em si ganha a confiança dos outros".

Assim, no mundo empresarial, a confiança tende a nos impulsionar para a ação, uma vez que acreditamos que determinada iniciativa dará certo porque os pilares que sustentam aquele empreendimento, ação, serviço ou projeto são firmes, capazes de prosperar. Somente quando se tem esse cenário em vista é que podemos partir para a implementação do negócio.

Compartilhamos essa segurança com nossos clientes e dizemos que, se eles tiverem alguma dúvida sobre algo, que não ajam. Agir na incerteza é muito arriscado. Quando temos confiança no que estamos fazendo, seremos capazes de enfrentar os imprevistos que surgirem – e eles sempre aparecem, uma vez que não há nada tão fácil que não nos apresente obstáculos. E sabemos disso.

Perseverança

> “A perseverança é a mãe da boa sorte.”
>
> – Miguel de Cervantes
>
> (escritor espanhol)

Tem um uma passagem da vida do Michael, durante a infância, que o marcou muito. Seu pai começou a Marpa Marcas e Patentes sem qualquer recurso, ajuda ou aporte financeiro. Era “ele e Deus”, como costumamos dizer, ou seja, era preciso realizar a tal da “venda pura” por meio de seu próprio esforço. Assim, seu pai saía pela manhã e tinha que trazer comida para casa no final do dia.

A família morava nos fundos da casa da avó, onde o avô tinha um plantio e cultivava de tudo. Quando o pai dele não tinha o que almoçar, parava perto de um trailer chamado "Pica-pau Novo Hamburgo", que existe até hoje, para ficar sentindo o cheiro do cachorro-quente, já que não tinha dinheiro para comprar um.

Até hoje, quando o Michael tem que sair de viagem, ele se lembra dessa história e a toma como elemento motivador, porque a lição que fica dela é que devemos ser perseverantes. Sabemos que outra pessoa nas condições do pai dele teria desistido. Afinal, imagine a pessoa ter que trabalhar duro o dia todo e não ter o que comer? Isso não é para qualquer um!

O Michael pensa nisso sempre quando nos deparamos com um imprevisto ou quando alguma coisa acontece diferente do que imaginamos. Imagine quando as redes sociais caem e ficamos horas sem o WhatsApp, Instagram ou Facebook. A impressão é de que o mundo acabou. Mas pense em como era a vida dos empresários num passado recente, daqueles que conseguiram construir patrimônios milionários sem os recursos digitais e as facilidades que a tecnologia nos trouxe, a começar com um "simples" aparelho de celular.

Há ocasiões em nossas vidas, quando nos vemos diante de um obstáculo ou não estamos conseguindo enxergar uma saída ou o fim de um problema, que pensamos na situação vivida pelo pai do Michael. Quando isso acontece, o que nos vem à cabeça é que sempre tem uma solução. A gente está onde está hoje porque, lá atrás, alguém persistiu, acreditou e foi em frente!

Hoje o pai do Michael continua fazendo tudo o que fazia anos atrás. Sim, ainda hoje ele continua trabalhando do mesmo modo. Ele divide um andar do prédio conosco, o sétimo, e é nosso sócio. Nós cuidamos do tributário, e ele segue trabalhado com marcas e patentes, como faz há décadas.

Aquele senhor chega todos os dias cedo e dá à secretária uma lista, escrita manualmente, dos clientes para quem ela deve ligar. As coisas seguem funcionando bem, porque ele tem perseverança. Ele senta em sua cadeira e passa o dia todo lá, até a hora de ir embora, falando com os clientes da sua carteira. O mês todo é assim. Ele é o típico vendedor clássico, daqueles que ligam para o cliente apenas para saber se ele está bem, precisando de alguma coisa, e se colocando à disposição em caso de necessidade.

E o trabalho dele se dá depois que alguém criou um produto novo, quando é preciso registrar a marca; se teve uma ideia nova, daí é preciso registrar uma patente. E é isso que o pai do Michael faz – e com perseverança. Ele persevera, nós vemos isso e acabamos tomando o seu comportamento em nosso escritório como exemplo, como uma forma de motivação. Essa é uma receita que deu certo, é um ingrediente que funcionou no bolo dele e que trouxemos para os dias de hoje, tendo a tecnologia a nosso favor. Mas ela, sozinha, não funcionaria se não tivesse a virtude humana envolvida.

O Michael faz como o pai: elabora uma lista de clientes, só que ela está no iCloud, na nuvem, e não anotada nas fichas como o seu pai, pois usamos a tecnologia em nosso benefício. Depois, ele passa para a sua secretária por WhatsApp, às vezes por e-mail, e ela devolve as ligações todas para que ele possa falar com os clientes. Algumas vezes ele faz isso pelo próprio WhatsApp, ou até pelo Instagram, quando um cliente publica algo e ele comenta. Mas, no fundo, ele está usando o mesmo método que o seu pai usava quando fundou o escritório – e que permanece nos dias de hoje. Assim, a receita de sucesso usada é a mesma, mas adaptada aos nossos dias.

PARTE 3

PARTE 3

Cliente: personalização e acolhimento

"Na vida, não existem soluções. Existem forças em marcha: é preciso criá-las, e, então, a elas seguem-se as soluções."

– Antoine de Saint-Exupéry
(escritor francês)

No que diz respeito especificamente ao nosso próprio negócio, nós o entendemos da seguinte maneira: clientes são as pessoas, não as instituições que elas formam. Prezamos cada cliente, independentemente de ser indústria, comércio, atacado, varejo ou serviço. E queremos que eles saibam que pensamos assim.

Fazemos questão de sempre visitar nossos clientes, temos contato pessoal com cada um deles. Outras áreas da ação jurídica são diferentes da tributária, porque, no nosso caso, o aprendizado se dá com o cliente. É ele que detém o termômetro que mede a temperatura da sua situação no dia a dia.

Em geral, as empresas não nasceram "ontem". Elas têm uma história, e dessa história surgem as dificuldades que enfrentam. Assim, ao contar a sua trajetória, o empresário nos fala sobre os obstáculos, e nós levamos isso para o âmbito da legislação, a fim de entender, à luz do direito tributário, o que é possível e necessário ser feito.

Verificamos a atividade de cada cliente, como ele opera no seu segmento, qual o perfil dos sócios, e, em seguida, conversamos com eles. Daí nasce o cenário no qual iremos trabalhar. Muito dificilmente surge uma situação da qual não tenhamos conhecimento. No início, tentávamos visitar todos os clientes, acompanhando o processo inteiro, do início ao fim. Hoje, temos uma equipe de *back office*, uma equipe comercial grande, e nós, pessoalmente, acompanhamos o processo até entender a necessidade de cada um.

Atualmente, todo mundo, pessoas físicas e jurídicas, recebe ofertas de todo tipo, de tudo quanto é produto ou serviço. É operadora que liga oferecendo pacotes melhores de dados, é *call center* de produtos dos quais nunca ouvimos falar... Isso nos cansa. Sabemos o que gostamos e o que não gostamos de ouvir. E essas pessoas repetem as mesmas frases e os mesmos argumentos, pois têm um roteiro de discurso pronto.

Com o serviço que prestamos acontece a mesma coisa, pois o empresário pensa: "Mais um? Mas eu já tenho o meu advogado para cuidar disso". Ou: "Tenho um contador que resolve isso pra mim". Não é papel do contador cuidar da gestão tributária. Esse profissional é o nosso maior parceiro, é a pessoa que chancela o nosso trabalho. Mas não é da sua alçada cuidar disso, embora muitos empresários pensem assim. Em geral, os contadores fazem um trabalho muito eficiente, mas não cabe a eles a gestão tributária dos negócios.

Por isso, primamos pelo atendimento personalizado, pela relação pessoal com os nossos clientes. Não oferecemos um discurso pronto, uma solução por atacado ou padrão. Nós fugimos disso. Por isso, criamos uma marca com a sistematização de uma metodologia que faz toda a diferença.

Traçamos um perfil do cliente a partir do levantamento do CNPJ, listamos a situação da empresa, conhecemos a sua trajetória, verificamos há quanto tempo está no mercado, quem são os seus clientes e parceiros, e por aí vai. Só assim conseguimos apresentar opções customizadas. Por isso, levantamos informações preliminares para, então, abordar a empresa. Pulamos a parte das perguntas básicas e chegamos até ela com parte do serviço já feita.

Quando nos apresentamos, tendo uma situação preliminar conhecida e com opção para solução do problema ou uma oportunidade até então desconhecida, o empresário tem uma surpresa. É nesse contexto que fazemos a pergunta: "O que o está incomodando nesse negócio? O que está incomodando a sua empresa nesse momento no que diz respeito à parte tributária?".

Então, apresentamos um parecer, e nele o empresário observa que a solução ou a oportunidade que oferecemos não implica retirar recursos do caixa da empresa, nem comprometimento com pagamentos fora do seu planejamento, que normalmente já é apertado. É estritamente um parecer conservador, porque não propomos algo arrojado, fora da curva. Antes disso, é preciso entender o perfil da empresa, algo parecido com o que as gestoras de investimentos fazem conosco quando as procuramos. Eles buscam saber o que temos, como somos e o que queremos, para, só então, propor uma cesta de opções para cada perfil: conservador, arrojado, de risco etc.

Como tem muitos escritórios oferecendo soluções e "soluções", e há uma infinidade de empresas a serem atendidas, a concorrência é imensa e, por vezes, desleal. Atualmente, são oferecidos produtos muito diferentes dos tradicionais, e em muitos casos nem dá para saber direito o que está sendo oferecido. Por isso, empresários que desconhecem a realidade desse segmento acabam embarcando em aventuras em função do preço e se esquecendo da "qualidade".

Vimos muitos casos nos quais a empresa optou pelo preço e não verificou a qualidade do serviço que estava adquirindo. É preciso ter equilíbrio entre os dois polos. E como o tempo de todos nós é caro, a apresentação e o contato inicial devem ser maximizados.

Nossos clientes não gastam tempo conosco explicando quais ações fizeram e quais deixaram de fazer, nem qual é a atividade deles. Nós nos envolvemos em suas vidas e oferecemos uma solução para que eles percebam que temos interesse em que eles sejam bem atendidos e tenham seu problema resolvido. Eles percebem que nós os estudamos, que fizemos a lição de casa. E, assim, usamos muito bem os cinco minutos que eles nos dão para apresentarmos nosso trabalho. Por isso a surpresa quando eles nos ouvem com uma conversa mais afinada, mais próxima da realidade e que valoriza o tempo que eles nos deram. Eles acabam se sentindo privilegiados com esse tipo de atendimento.

Em linhas gerais, muitos dos problemas existentes são comuns a todos os segmentos. Por isso, é fácil, para quem presta esse serviço, imaginar que todos os clientes são iguais e oferecer um pacote padrão, que nem sempre é o melhor. Há detalhes que mudam de empresa para empresa, de segmento para segmento, e até em função do tempo de atividade, da conjuntura política ou econômica do país, da região ou estado da nação – e estamos atentos a tudo isso quando elaboramos o parecer inicial. E até essa primeira análise evoluiu ao longo dos meses e anos, pois estamos sempre buscando melhorias em nossos processos.

A questão tributária é um assunto muito delicado para as empresas. Quando um empresário se depara com ela ou quando recebe um questionamento sobre os tributos que paga, saldos ou créditos, cria-se uma situação desconfortável. Muitas vezes, é alguém de fora que faz esse apontamento, e isso é algo que incomoda.

Por isso, é preciso saber abordar a empresa, para não criar animosidades.

Quando um negócio tem um débito, não podemos simplesmente ligar e informá-lo. Temos uma forma própria de abordar a empresa.

Primeiramente, fazemos um *briefing* da companhia, tarefa do nosso departamento comercial, usando a nossa metodologia, para ter como replicar os resultados. Como diz o pai do Michael, uma andorinha não faz verão. Então, é preciso criar um vínculo com alguém que receba a nossa orientação e nos ouça, acreditando naquilo que estamos propondo.

A Marpa Gestão Tributária aborda a empresa que tem créditos a restituir, a compensar ou a recuperar, que é basicamente a mesma coisa. A metodologia 3R, explicada em detalhes mais adiante, entra por esse flanco, por esse acesso. Nós recuperamos o passado da empresa e a reorganizamos para depois reduzir a carga tributária que é paga atualmente. De que forma? Fazendo com que ela pague os tributos da forma correta. Afinal, se há algum crédito a restituir, é porque há pagamentos indevidos, a maior.

Naqueles cinco minutos que temos frente a frente com o cliente, temos duas opções: dar um show ou fracassar. Às vezes, temos menos do que esse tempo para a apresentação. Os bons atletas têm segundos para executar suas performances, bater recordes, entregar os resultados esperados e entrar para a história – ou falhar. Eles se preparam por quatro anos para chegar a uma competição, que será a única oportunidade de mostrar quem eles são e a que vieram.

Encaramos nossa primeira reunião como a prova olímpica de um corredor. Estamos preparados e temos pouco tempo para percorrer o instante do aperto de mãos até o fechamento do contrato. Por isso, nos preparamos, sabendo que temos que ganhar em cinco ou dez minutos. Para tanto, é preciso apresentar um fato novo – e não mais do mesmo.

O mercado está saturado de abordagens semelhantes e sem soluções efetivas. Era preciso uma disruptura, e foi isso o que fizemos. Esse neologismo da disruptura não é, na nossa empresa, apenas mais uma palavra moderninha.

Nós fazemos a diferença, rompemos o modo usual de fazer gestão tributária. E, para isso, desenvolvemos desde a parte comercial e administrativa até a parte institucional da empresa. Criamos uma cultura que é implementada todos os dias. Fazemos mais do que fomos contratados para fazer e não esperamos nada a mais por isso. Procuramos ser cada vez melhores do que ontem, porque, se fizermos algo a mais do que fomos contratados para fazer, estaremos no caminho certo para sermos os melhores no mercado.

Não corremos atrás do resultado nem ficamos esperando aplausos ou agradecimentos. Não esperamos nada além em troca. Sabemos que nossa recompensa está adiante e virá aos poucos. Nem sempre o resultado vem de forma tangível, pois uma aparentemente simples indicação de um cliente para outro já é resultado e reconhecimento daquilo de bom e positivo que fizemos. Do mesmo modo, há novos parceiros que se aproximam, profissionais que vêm até nós, muitos querendo ser parceiros. Por quê? Porque conseguimos replicar a energia gerada, conseguimos replicar o DNA que temos.

A recuperação, a reorganização e a redução se tornam a porta de acesso à empresa; basicamente, a recuperação de créditos faz isso. Isso se torna o atrativo por onde conseguirmos acesso a determinado cliente.

Como as empresas com as quais atuamos precisam nos apresentar algumas documentações, acabamos tendo acesso a uma série de dados sobre elas, capazes de facilitar nossa apuração sobre quanto elas têm a recuperar de crédito e se estão pagando os tributos de forma correta.

Há empresários que se abrem conosco. Revelam seus históricos, se há algum parcelamento ao qual aderiram no passado, se existem renegociações que não foram suportadas em determinados momentos.

Em muitos casos recentes, principalmente depois da crise sanitária provocada pela Covid-19, muitos negócios não suportaram os refinanciamentos. Então, é preciso revisar o que foi feito – essa é a nossa função. Fazemos uma ligação de parcelamento e mostramos a melhor forma de resolver aquilo, de acordo com o artigo 156 do CTN, sobre como pagar, e vemos se é débito, crédito ou crédito tributário.

Normalmente os empresários optam por uma ou outra forma de pagamento ou parcelamento e se esquecem que existem, pelo menos, nove maneiras de pagar débitos. Trabalhamos exatamente com isso, com as formas corretas de pagar, e, então, recuperamos o que é devido.

Muitas vezes, ouvimos perguntas sobre o energético – as pessoas querem saber por que criamos esse produto com a nossa marca. A razão é clara: porque a nossa metodologia 3R dá uma energia nova para a empresa, e o energético nada mais é do que a isca para entrarmos em uma companhia. Outros empresários dão brindes para seus potenciais clientes. Nós criamos nosso próprio "brinde", que é o energético.

Outra preocupação nossa é de não fechar somente uma primeira venda. E isso implica foco constante, disciplina e determinação para termos um ritmo saudável durante todo o tempo que atendermos nosso cliente. Entendemos que fazer a primeira venda é relativamente fácil – o difícil é vender de novo para aquele mesmo cliente, é mantê-lo na carteira por um longo tempo.

Então, nosso *modus operandi* prioriza a longevidade do nosso negócio, dando ao cliente o melhor de que ele precisa a cada momento, a cada fase de vida. Não basta ser chamado de o melhor do mundo – é preciso se manter como o melhor do mundo. Na trajetória de todos nós, haverá momentos em que estaremos cansados, o voo atrasará, o cliente desmarcará a reunião, o concorrente oferecerá melhores preços e condições... Muitas outras coisas acontecerão! Por isso, quando se atinge o topo uma só vez, as pessoas tendem a dizer que foi sorte. Mas, para se manter no topo, é preciso foco, determinação e disciplina. É isso que fará a diferença entre você e o seu melhor concorrente.

Nós fazemos o nosso cliente se sentir único, *prime*. O parecer que apresentamos é customizado para a sua realidade e necessidade. A atenção vai para ele, a nossa equipe está à disposição dele. Há até algumas coisas fora do convencional que fazemos e outras empresas do segmento de serviços não fazem, como o "Sabadão de Vendas".

Esse evento não é apenas "comercial", é também uma brincadeira. Na verdade, nem é para vender. A gente visita o cliente, leva os energéticos para ele e passa o conceito de que estamos lá para dar energia para o caixa da empresa.

Prestadores de serviços visitarem seus clientes no sábado é uma maneira de demonstrar carinho, de procurar saber como ele está, como está o seu negócio. E isso foi uma inovação: procuramos cuidar de cada detalhe da sua vida profissional e empresarial.

Também temos como premissa gravar um vídeo de aniversário para nossos clientes, tanto na data de fundação da empresa como na de nascimento de seus fundadores. Muita gente nem sabe onde conseguimos essas informações, mas temos as nossas fontes (na verdade, pegamos pelo contrato social, mas só você que está lendo isso sabe.). Há casos em que os colaboradores e o próprio empresário nem sabem que aquela é a data de aniversário da empresa. Quando estamos na sede, temos pessoal encarregado dessa iniciativa, mas, quando estamos fora, enviamos o vídeo que nós mesmos gravamos.

Nossos clientes são, para nós, peças raras, uma verdadeira joia.

Do problema vem a solução, e quem acredita realiza: a metodologia 3R

> Os sonhos existem para se tornarem realidade.
>
> – Walt Disney
> (criador norte-americano do império do entretenimento de mesmo nome)

Falamos muito de simplificação, e, no fim das contas, como poderíamos descomplicar a gestão tributária para que os benefícios que a Marpa entrega ficassem claros para todos os clientes? Dessa pergunta nasceu a metodologia 3R, que resumiu toda a nossa jornada em três passos que vão direto ao ponto para mostrar ao cliente o que podemos fazer pela empresa dele: reorganizar, recuperar e reduzir impostos.

A metodologia 3R é uma criação nossa. Temos orgulho de tê-la desenvolvido e de, agora, contar a sua história. Com o passar do tempo, percebemos que a empresa vai criando uma personalidade própria. É como um filho, que ao nascer depende dos pais, mas, depois de algumas semanas, começa a testar novos sons, usar os pés, as mãos e a boca, e assumir as primeiras posturas pessoais para, e a partir de então, ganhar personalidade própria.

As empresas são assim, como filhos. Aqueles que a fundaram idealizam uma identidade, mas, com o passar dos anos, com a influência das pessoas que nela trabalham, o seu perfil vai sendo adaptado.

Por que dizemos isso? Porque o 3R era como um rótulo para uma situação que todos têm de enfrentar nas empresas. No entanto, no dia a dia, com a correria, por estarem focados e disciplinados em determinadas atividades de rotina, os colaboradores acabam se esquecendo da sua existência.

O 3R é a sigla para *reorganizar*, *recuperar* e *reduzir*. Aplicávamos essas três palavras inconscientemente aos processos que desenvolvíamos. Em nosso segmento, quando temos uma empresa com um débito ou revisão a ser feita, ou quando o cliente quer entender melhor a parte tributária do seu negócio, a primeira etapa do nosso trabalho é fazer a análise de sua trajetória, ou seja, reorganizar a gestão tributária da empresa.

É nessa fase que verificamos o que ela está pagando de imposto e o que não está pagando, o que está sendo feito na parte tributária, o que se pode fazer a partir de então, conferimos se ela está enquadrada no regime correto, se está classificada na Nomenclatura Comum do Mercosul (NCMs) correta, entre uma série de outras checagens.

Há situações em que a primeira pergunta que ouvimos numa reunião com novo cliente é justamente o que é gestão tributária e para que ela serve.

Como a expressão é bonita, pomposa, muitos empresários enquadrados no Simples Nacional, ou seja, proprietários de negócios de menor porte, acabam imaginando que esse é um serviço que não serve para a sua realidade e que é direcionado apenas a quem fatura milhões ou bilhões de reais. Eles desconhecem os benefícios que ela pode trazer para os seus negócios, mesmo que ainda pequenos.

Temos conseguido atrair esses clientes menores por meio de postagens nas redes sociais. Fazemos uma espécie de "educação digital", uma vez que o empresário de menor porte (mas não somente ele) tem mais facilidade de acessar uma mídia social e conquistar conhecimento sobre o tema numa página ou perfil como o nosso.

A cabeça do empresário está girando em torno do seu negócio, mas isso envolve ter de cuidar da atividade final, incluindo a legislação tributária. A carga de impostos, além de muito complexa, impacta diretamente no produto final. Enquanto ele trabalha para ganhar campo, *market share* no segmento em que atua, precisa ter, em paralelo, uma gestão eficiente da sua situação tributária.

Temos dados sobre a eficiência da nossa metodologia, uma vez que conseguimos fazer a leitura da situação da empresa, do seu *spread,* em menos de cinco dias. Nosso sistema é atualizado diariamente e semanalmente, pois novas normas são criadas a cada dia. O empresário não tem como cuidar disso, nem pode ficar preocupado com essas questões.

O que chamamos de reorganização da empresa é, portanto, como se tirássemos uma "foto panorâmica" de fora da companhia para visualizá-la como um todo. Depois disso, entramos nela e fazemos "fotos" em *close* de situações específicas.

Após esse *check-up* inicial, algo que já fazíamos inconscientemente ao sermos contratados, vem a segunda etapa, que é a verificação da possibilidade de agregar ainda mais valor ao nosso serviço, proporcionando benefícios para a empresa. O que fazemos nessa etapa? Recuperar é a palavra. Recuperamos impostos que foram pagos de forma indevida ou reduzimos as taxas pagas de forma incorreta, algo que costuma acontecer quando a empresa está classificada de maneira errada, ou por algum outro motivo. Tudo isso é feito de forma correta, dentro da lei.

Quando identificamos que a empresa pagou impostos indevidos, promovemos a recuperação de tudo o que foi pago nos últimos cinco anos. Esse dinheiro "perdido", de acordo com o nosso ordenamento jurídico, o Código Tributário Nacional e a nossa lei maior, a Constituição Federal, só pode ser recuperado até cinco anos depois de pago indevidamente.

Esse recurso que retorna para a empresa a ajuda a ter um fôlego extra, ou seja, melhora o seu caixa. Mais uma vez, nossa metodologia sistematiza aquilo que já fazíamos inconscientemente.

Uma vez recuperados os impostos, o próximo passo é verificar a possibilidade de reduzir tributos. Ou seja, verificamos se o que a empresa está pagando está sendo pago da maneira certa.

Algumas perguntas que precisam ser feitas nessa fase são: como reduzir impostos? Há algum benefício fiscal na empresa? Será que ela tem direito a alguma isenção? Existe alguma lei da qual ela possa se beneficiar? O negócio pode ser mais bem enquadrado? Poderíamos citar leis capazes de trazer benefícios para as empresas, como a Lei do Bem, um incentivo do governo à Zona Franca de Manaus que dá isenção para itens produzidos na região. No Sul, temos o Chuí, enquanto São Paulo tem as próprias leis de incentivo e várias isenções. Há, ainda, a classificação de Terceiro Setor para a aplicação do dinheiro de quem investe de forma sustentável. Esse grupo tem vários benefícios.

Aos poucos, notamos que isso era um diferencial e que era possível analisar cada empresa, mas de maneira macro. E como a gente faz isso, já que boa parte das empresas tem sua própria metodologia, a exemplo de Coca-Cola, Pepsi, Ambev e Magazine Luiza?

Percebemos que era preciso criar um método que unificasse os demais e simplificasse esse processo. Foi aí que passamos a contar com a ajuda do Erich Shibata, que é uma pessoa muito organizada. Ele é o profissional do *marketing*, o *cara* da criação, que nos apoia como se fosse um mentor.

Há coisas e rotinas em nosso dia a dia que são tão comuns e corriqueiras que nem sequer percebemos. No nosso caso, isso é verdadeiro também, já que não nos dávamos conta do grande diferencial de mercado em nossas mãos, pois já executávamos os passos da metodologia automaticamente.

Quando se começa um negócio, a primeira pergunta a ser respondida é: "Qual é o seu diferencial de mercado? O que você faz de diferente dos demais?".

A comparação sempre existirá, independentemente do tipo de atividade. Nós mesmos, quando vamos ao supermercado, compramos a marca A, e não a B, após compararmos qualidade, preço, custo-benefício etc.

Como há diferentes meios para se chegar ao cliente, queríamos encontrar nossa maneira, e para isso era preciso identificar o diferencial que tínhamos no mercado e mostrar como ele era importante. Foi então que o Erich Shibata sugeriu aplicarmos a metodologia 3R. Então, a colocamos no papel, começamos a aplicá-la, e funcionou muito bem!

Esse é o nosso modo de enxergar as empresas, o nosso método, é como avançamos no mercado com um diferencial que toda empresa quer ter. E, assim que a batizamos, passamos a perguntar para os clientes se eles aplicavam a metodologia 3R. Só o fato de mencionar uma metodologia específica já impactava positivamente, uma vez que os meios já existiam, mas o chamariz era o fato de que havíamos reunido e sistematizado os processos.

Muita gente pergunta o que é a metodologia 3R. Ela nada mais é do que algo que já fazíamos na incessante busca por um atendimento ágil e simplificado aos nossos clientes, que acabou por virar um mantra para nós. Algo que já fazia parte da nossa rotina de trabalho, um modo novo de abordar o problema da gestão tributária no qual acreditávamos e que colocamos em prática. A diferença é que, enquanto não demos um nome a ele, as pessoas não demonstravam interesse.

Criamos nossa identidade, identificamos nosso DNA e fortalecemos nossa essência, o que é uma coisa incrível! Muitos de nós, empreendedores, somos atuantes no segmento ao qual pertencemos, estamos no dia a dia do mercado, estamos presentes nos clientes, resolvendo as coisas para eles, incentivando a equipe, fazendo tudo certo. Mas sempre é possível melhorar. Por isso insistimos na busca por um diferencial e por mostrar isso. Apresente a maneira como faz o trabalho com o seu diferencial.

Essa é uma maneira de oferecer um *insight*, tanto para os parceiros quanto para os clientes, de modo a fazê-los querer conhecer o que você faz e querer fazer parte do seu segmento, contratando o seu trabalho. Porque, quando você tem uma marca, uma identidade bem definida, as pessoas vão atrás disso, dessa grife. Elas sabem que a metodologia vai agregar algo ao negócio e começam a se perguntar o que estão perdendo por não adotá-la em seus negócios. Então elas começam a ficar curiosas – os seres humanos são curiosos por natureza.

Passados os primeiros anos, nos demos conta de que precisávamos de uma identidade, de uma marca. No início, acabamos focando muito nos resultados, em ajustes internos de equipe e em coisas da organização geral e da estrutura. Isso é algo meio inconsciente nos empreendedores. Começamos arrumando aqui e ali, encaixando, fazendo ajustes, mas, depois de dois anos, começamos a buscar esse diferencial, que veio na forma de uma identidade.

Ela funciona como se acendesse uma luz na escuridão. E vale dizer que a situação exige que haja pessoas ao redor – pessoas boas naquilo que fazem e pessoas melhores do que o próprio empreendedor.

Dizem que isso é um clichê, mas não é. É fundamental estarmos cercados de pessoas que nos ajudem, contribuam, agreguem, questionem. Pessoas que sejam inteligentes e saibam o que estão fazendo. Para crescer, o empresário precisa ser questionado. Precisa aprender sempre, pois ninguém nasce sabendo.

Por isso, não tenha medo de trazer para perto de você pessoas muito melhores. São elas que farão a sua empresa chegar a outro nível. Quanto mais gente assim você tiver ao seu lado, incluindo outros empresários que tenham algo a acrescentar ao seu negócio, melhor.

As empresas funcionam como um Lego, em que todas as peças precisam se encaixar, e cada uma tem o seu valor. Quando trazemos peças cada vez melhores, com ideias incríveis, a empresa cresce. Os concorrentes nem sempre terão essa visão, nem a agilidade e a capilaridade para encontrar os melhores do mercado, e isso acabará se tornando para você um diferencial.

Cada segmento e cada empresa dentro dele, assim como os próprios empresários, têm os mesmos problemas quando o assunto é tributo. Se pararmos para pensar, veremos que, se a atividade é igual, a tributação é a mesma. Ou seja, os desafios são os mesmos, em maior ou menor escala. Mas uma coisa é padrão: diferentes segmentos têm os mesmos problemas, e eles "conversam" entre si.

Do mesmo modo, os profissionais, como os advogados que atuam na mesma área, têm os mesmos conceitos, os mesmos argumentos baseados na legislação, ainda que cada um deles trabalhe de forma diferente.

Uma marca criada a partir da naturalidade e da espontaneidade

Do problema vem a solução. Se ele não existisse, a evolução estaria comprometida. Veja o caso da invenção do celular, mais especificamente do iPhone, que revolucionou o mundo das comunicações. A Apple cresceu assustadoramente, porque resolveu vários problemas dos consumidores. A gigante de tecnologia fundada por Steve Jobs criou o iPhone e um sistema operacional próprio, o iOS. O resultado foi a solução de problemas de telefonia móvel, acessibilidade e conexão, além dos múltiplos aplicativos que passamos a ter na palma da mão. Do problema nasceu a solução.

O mundo funciona e evolui assim, quase de forma natural. Quem estiver numa área ou departamento e sentir-se meio deslocado, deve olhar para os lados e procurar caminhos. A solução do problema não está em sair da sua área, mas encontrar nela a solução.

É na adversidade que encontramos a saída, mas não se pode mergulhar nela para "afogar as mágoas", ou seja, vitimizar-se. Quem faz isso terá, verdadeiramente, mais do que um problema.

Trabalhávamos duro na época em que o nosso mentor, Erich Shibata, um sujeito que é um gigante no cenário do marketing, estratégia jurídica e *branding*, indicou a direção para solucionarmos o problema. Não existia o 3R, nenhum escritório tinha uma metodologia como essa. Ele nos abriu os olhos para o modo como trabalhávamos, de maneira natural, espontânea, mas sem dar um rosto para o conjunto de ações que desenvolvíamos – o que agora chamamos de metodologia 3R.

Aos poucos, o Erich foi desenvolvendo conosco uma estratégia para apresentar a nossa marca e, com ela, nosso principal produto. Tínhamos, por exemplo, um logotipo preto e dourado, uma combinação clássica de cores, mas que nos distanciava do cliente. Por quê? Porque na teoria das cores, o preto é considerado sóbrio, digamos assim, e o dourado é uma cor mais elitizada. Claro que um logotipo com preto e dourado transmite a ideia de uma empresa sofisticada, grande, mas também passa a ideia de que ela só atende grandes negócios, abrindo mão dos pequenos.

Mas, no nosso caso, isso não é verdade, uma vez que atendemos empresas que estão enquadradas do Simples ao Lucro Real, passando pelo Lucro Presumido, ou seja, dos mais variados portes. E a Marpa Gestão Tributária passou a assumir a identidade MGT, um nome curto, fácil de ser pronunciado e mais acessível, o que tem muito a ver com a nossa proposta de simplificação. Veja o Magazine Luíza, por exemplo, que recentemente passou a adotar Magalu, ou o Banco Votorantim, agora BV.

Voltando ao logotipo, adaptamos a imagem que consideramos elitizada para uma que mostrasse claramente o nosso foco. Primeiro, tiramos o preto e trocamos pela cor chumbo. Em seguida, abrimos mão do dourado e passamos a adotar o azul. Deixamos a imagem mais alegre e menos aristocrática, facilitando o "acesso" aos empresários, de forma que percebessem quem era o nosso público.

Assim, fomos mudando os nossos conceitos, mas mudando também a nossa cabeça, o nosso entendimento sobre uma questão simples, mas fundamental, para o posicionamento da marca no mercado. Era preciso entender nosso cliente para conseguir dar a ele o resultado pretendido, conectando-nos com as pessoas no ponto em que elas estão. Com isso, conseguimos nos juntar a um maior número de empresários, parceiros e colaboradores.

Inconscientemente, queríamos transmitir uma ideia, mas, na prática, transmitíamos outra. E isso conseguimos resolver trazendo uma pessoa inteligente, um profissional capacitado que nos ajudou a encontrar as alternativas para chegar às soluções desejadas.

Quase sempre o empresário acha que sabe tudo, mas ele não tem que saber tudo. A maneira de obter melhores resultados quando precisar interferir em áreas que não são de seu domínio é se cercar de pessoas que tenham especializações diversas e que possam orientá-lo nas diferentes situações em que ele tenha de tomar uma decisão importante e estratégica.

Assim, entendemos que precisamos nos cercar de pessoas estratégicas em cada uma das áreas do nosso negócio. Sempre quisemos ter uma ou várias pessoas que pudessem agregar ao nosso time estrategicamente. Para nós, o Erich Shibata é um nome estratégico, encontrado nas redes sociais. Acompanhávamos o trabalho dele e, atualmente, estamos em seu seleto rol de clientes no que diz respeito ao *branding*, ao lado da farmacêutica Cimed e da Icon, uma empresa de táxi aéreo.

Perguntar para resolver

Há uma série de perguntas que fazemos aos empresários no primeiro encontro: "Você sabe o que está pagando com os tributos? Você está pagando de forma correta? Esse tributo está baseado no seu faturamento real, no seu lucro líquido ou no bruto?". Essas são dúvidas que eles nem sempre sabem responder. "O que o está incomodando em relação à parte tributária?" Esse é outro questionamento que fazemos com muita frequência. Ele faz parte do protocolo de atendimento e entra, obviamente, no treinamento dos nossos colaboradores.

Outra pergunta que precisa de resposta é: "Você sabe que uma gestão tributária bem feita pode trazer resultados financeiros, ou seja, criar caixa para a empresa?".

Existem, ainda, indagações mais voltadas ao marketing, como "Você sabe que a metodologia 3R pode fortalecer as reservas financeiras da sua empresa? Você sabe o que é revisão fiscal? Você sabe quais são as formas de extinguir um crédito tributário?".

Além dessas, também podemos perguntar: "Você tem ideia ou sabe se a Receita Federal restitui e depois deposita em conta o crédito que você tem?"; "Você sabia que pagar impostos de maneira correta é a solução para os problemas de caixa da sua empresa?"; "Você sabia que pagar impostos de maneira correta pode ser a solução para o seu fluxo de caixa?"; "Você sabe ou tem ideia de quanto o método 3R pode reorganizar, recuperar e reduzir os tributos que paga hoje, a ponto de transformar a saúde financeira da sua empresa?".

Outra pergunta interessante é: "Você tem ideia de que, no Brasil, as empresas gastam com burocracia tributária mais de R$ 18 bilhões?". Esse é um dado oficial do Instituto Brasileiro de Planejamento Tributário, o IBPT. "Você sabe o quanto uma restituição tributária bem feita pode gerar de caixa para a sua empresa?", "Você tem ideia de quanto é possível gerar de caixa na sua empresa?".

Diante dessas perguntas, o empresário ou colaborador da empresa terá acesso à real situação tributária do seu negócio.

PARTE 4

PARTE 4

Espiritualidade

Além da afinidade profissional, nós dois temos uma afinidade espiritual. Somos religiosos, um mais do que o outro, mas ambos cremos na importância de ter uma religião, de desenvolver a espiritualidade, que é uma parte importante da constituição do ser humano. Sem isso, toda pessoa ficaria incompleta, debilitada.

Embora a espiritualidade tenha a ver com a ligação com o Ser Divino, a pessoa de Deus, ela nos dirige a olhar para o próximo de forma condescendente, com um olhar fraterno. Rezo todos os dias pela manhã antes de sair, pedindo proteção para todos. No final do dia, antes de dormir, faço a mesma prece, porém agradecendo pelo dia que tive. Não importa onde estiver, não importa o momento vivido, isso é uma condição *sine qua non*. É uma coisa pessoal, assim como o deslocamento até uma igreja todos os domingos para assistir à missa.

O Eduardo também tem a mesma devoção pessoal, porém, não tem costume de frequentar a igreja atualmente, embora no passado tenha cumprido os sacramentos oficiais. Sua devoção é mais intimista, ele faz as preces em casa. Ele não pede, só agradece e busca orientação e iluminação para encontrar o caminho certo, porque entende que não tem muito o que pedir. Tem mais a agradecer.

Com essa formação, Eduardo criou o hábito de ajudar as pessoas, especialmente por meio de obras de caridade, mas sempre da maneira mais discreta possível. Para ele, a autopromoção de algumas pessoas ao ajudarem determinadas instituições desvaloriza o próprio gesto, que é grandioso e mostra a excelência do ser humano que deixa de pensar em si para pensar e amar o próximo.

Esportes

Sou muito disciplinado, algo que aprendi com o meu pai. Sempre tive muita facilidade com esportes e gosto muito de futebol, esporte que pratico desde cedo, já que, aos cinco anos, já jogava futsal perto da minha casa.

Aos seis anos entrei em uma escolinha de futsal e me destaquei. Aos sete, meu pai me levou para o Grêmio, onde joguei até os 12 anos. Essa atividade me inspirou desde cedo a ter disciplina, porque, em geral, o esporte tem essa capacidade. Ele leva quem pratica a aplicar-se no treinamento diário, ensina a controlar as emoções durante uma competição e dá foco, traça objetivos, ensina a trabalhar em equipe. O esporte é fundamental nos anos de formação de qualquer criança, ainda que na idade adulta ela não siga a carreira de atleta.

Boa parte da disciplina da qual falamos em outra parte do livro vem da prática de esportes em nossa infância. Levantar cedo, pular da cama, enfrentar desafios, bem como as práticas saudáveis de alimentação, são hábitos que nos acompanham desde cedo. Toda criança gosta de comer coisas não muito saudáveis. Quando eu queria comer algo assim, tinha que esconder do meu pai.

Assim como pratico tênis (atualmente estou competindo na modalidade em nível amador), o Michael pedala, e nós dois fazemos academia. E isso estamos passando para os nossos filhos.

O rigor com o compromisso também é uma marca nossa. Recentemente fizemos uma viagem pessoal e só conseguimos chegar em casa de madrugada. Às seis horas já estávamos, ambos, na academia. Isso também é parte do desafio pessoal que nos impomos, e essa disciplina, bem como essa capacidade de "não fazer corpo mole", nós levamos para a vida profissional. E funciona muito bem.

O esporte nos devolve algo bom, nos ajuda no desenvolvimento individual. E algumas modalidades ainda exigem que você esteja 100% focado, porque aquilo vai depender somente de você.

No tênis, por exemplo, tem aquela bolinha pequenininha que é preciso raquetear. Quem joga tênis não pode piscar na hora errada, nem olhar para o lado, senão a bolinha passa e ele perde a partida. Há dois esportes que são muito individuais e exigem concentração: o boxe e o tênis. O tênis exige até um pouco mais, já que, no caso do boxe, quando o round termina, os atletas conseguem conversar com o treinador. Se for preciso, eles conseguem mudar a estratégia no meio da luta. No tênis isso não é possível.

Levamos essas lições para o dia a dia da empresa. Há vezes em que estamos, por exemplo, em uma mesa de reuniões, fechando um contrato, e é preciso mudar a estratégia, a abordagem. É preciso entender a jogada do cliente. Há ocasiões nas quais jogamos com um adversário desconhecido, que joga de um jeito diferente do nosso, o que significa um novo grau de dificuldade.

Viajamos pouco. Não nos lembramos de um dia termos tirado um mês inteiro de férias. Isso é impensável para nós. Mas gostamos de viajar com a família, tirar uns dias para fugir um pouco dessa "pauleira" que é o nosso trabalho. A cada três ou quatro meses, saímos para momentos só nossos, capazes de nos centrar, de equilibrar os vínculos afetivos e acalmar o espírito. Fazemos isso com nossas esposas e filhos. É preciso dedicar um tempo a eles, porque a família continua sendo a base mais sólida e segura para todos nós, quer sejamos homens de sucesso nos negócios, quer sejamos anônimos, cuja vida é mais simples. A família é o porto seguro de todos nós.

Nossas viagens em família funcionam quase como um retiro espiritual, porque é com elas que conseguimos sair da nossa bolha e respirar um novo ar, focar em outras coisas que são igualmente importantes para o reequilíbrio emocional e – por que não? – espiritual também.

Como a nossa rotina é de constante treinamento, com muita cobrança, tentativas insistentes de melhorias em cada área, processos e relações pessoais (já que nunca estamos satisfeitos), esses momentos são válvulas de escape importantíssimas. E somos gratos a tudo que temos e a tudo que teremos, porque as conquistas virão, pelo fato de estarmos sempre semeando. Quem semeia coisas boas tem que colher coisas boas, e temos visto isso em nossas vidas.

Conclusão

Todos conhecemos e admiramos o técnico de vôlei Bernardinho, um cara absurdamente disciplinado que está entre os melhores naquilo que faz. Fizemos uma *live* com ele, na qual explicou que existem duas situações que levam a vencer na vida. Uma delas é quando a pessoa é muito focada no que faz, porque é qualificada, disciplinada e reúne os melhores requisitos na sua área. A outra é quando se consegue vencer pela necessidade que se atravessa ou vive.

Bernardinho exemplificou seu ponto de vista citando, em primeiro lugar, a história do líbero Serginho, que nasceu em Pirituba, na periferia da cidade de São Paulo, mas não permitiu que suas condições de vida o impedissem de se tornar um dos maiores atletas brasileiros de todos os tempos. Ou seja, o atleta fez da necessidade a sua mola propulsora para o sucesso.

O outro exemplo citado pelo técnico é o do seu filho. Diferentemente do colega de seleção brasileira, Bruninho teve todas as condições para se desenvolver como atleta, oportunidades muito melhores que as do Serginho. Ele, no entanto, é o tipo de pessoa e atleta que quer algo a mais. Ele é um sujeito disciplinado, mais técnico, corre atrás, é obstinado por resultados (não que outros atletas não sejam). São situações de partida e motivações diferentes, mas, em ambos os casos, resultaram em êxito.

Em nossa empresa houve uma situação que nos remete a isso. Um colaborador do departamento comercial extrapolou a meta, algo que, felizmente, acontece com frequência. Mas esse vendedor especificamente nos contou que, durante aquele período de trabalho, seu carro havia parado de funcionar, e ele teve que pedir o veículo do sogro emprestado.

Por causa da sua posição, ele precisava do carro para visitar os clientes, e acabou ficando duas semanas com o carro emprestado. Ele se esforçou tanto para dar conta da situação, criada por uma *necessidade*, que terminou ultrapassando o objetivo que havia sido determinado. O resultado desse empenho, desse esforço extra, foi que sua premiação foi suficiente para que ele comprasse um carro novo!

O escritor e historiador Leandro Karnal falou uma vez, em uma palestra, que as pessoas têm três chances na vida para se darem bem: quando nascem, quando se casam ou trabalhando. Ou se nasce num berço esplêndido, ou se casa com um bom partido, ou a única chance que se tem é trabalhar duro. Nós não nascemos ricos, de modo que a única alternativa que nos restou foi mergulhar no trabalho, porque é ali que está a solução dos nossos problemas e dos de nossos clientes.

Nós dois gostamos de estabelecer metas ousadas, não só profissionais, mas também pessoais. Temos preferência, por exemplo, por objetivos que assustem as pessoas, se possível que as deixem com certo "medo". Gostamos quando apresentamos nossas metas e elas as julgam como utopias, como inatingíveis. Essas metas nos seduzem, nos motivam ainda mais, porque sabemos que, se pudemos pensar numa meta tão ousada, também poderemos conseguir atingi-las – do contrário, nem sequer conseguiríamos pensar nelas!

Acreditamos que há uma lei da atração envolvida nisso, e que, se tivermos foco definido, atrairemos forças, energias e pessoas capazes de nos apoiar e de dar o seu melhor para que cheguemos ao nosso objetivo. É preciso ter metas que assustem ao serem reveladas para as pessoas. Só assim poderemos fazer coisas que valham a pena ser contadas e lembradas depois que não estivermos mais aqui. Essa é a memória que queremos deixar para a nossa e para as futuras gerações.

Quando, em 2016, durante uma conversa, o Michael revelou que gostaria ter um carro esportivo, estipulamos um prazo para que nós dois pudéssemos ter acesso aos modelos de veículos com os quais sonhávamos. Houve um atraso praticamente insignificante se considerarmos a ousadia da meta, mas conseguimos realizá-la.

Em seguida, decidimos incrementar nosso patrimônio imobiliário, até como forma de garantir a qualidade do tempo que passamos com nossas famílias. Em pouco tempo, o Michael comprou uma casa em Gramado, cidade localizada a 120 quilômetros de Porto Alegre, e eu adquiri um apartamento na capital gaúcha. Depois estabelecemos uma data para a compra de um avião, já que seria um meio de transporte mais adequado para os nossos frequentes deslocamentos pelo país, em busca de novos negócios, com economia de tempo e um pouco mais de conforto. Atualmente, usamos nosso avião particular. No começo parecia loucura, delírio, e teve quem não dizia nada quando revelávamos nossas ambições, talvez para não nos magoar, já que não acreditavam que conseguiríamos. Viramos até piada do mundo dos negócios, e sabemos disso. Mas hoje temos o nosso avião particular.

Não temos mágoa dessas pessoas, porque sabemos que as nossas metas realmente são ousadas e assustadoras. Isso está em nós, e queremos servir de inspiração, pois até os objetivos mais distantes podem ser alcançados quando não paramos ou desistimos.

Acreditamos que as pessoas devem fazer as coisas com as quais se identificam e correr atrás delas, pois assim alcançarão objetivos mais elevados e metas mais ousadas. Mas é preciso gostar do que se faz, porque só assim as barreiras serão transformadas em motivações, em propulsores para a excelência.

Nada veio fácil, nem de graça, para nós, e com a maioria das pessoas acontece da mesma forma. Sabemos que tudo que vem muito fácil também vai embora de maneira rápida. É trabalhoso conquistar coisas grandes e desejáveis? Sim, é difícil, mas é possível, com disciplina.

E há um bilhão de motivos para você lutar pelo que quer, pelo que deseja, por um mundo melhor para você, para a sua família, para as pessoas à sua volta. E você precisa escolher um, apenas um, capaz de encher o seu coração e ativar a sua mente. Depois de escolher esse motivo, persiga-o insistentemente, freneticamente, e só pare depois de tê-lo conquistado. E quando já estiver de olho no próximo.

Livros para mudar o mundo. O seu mundo.

Para conhecer os nossos próximos lançamentos
e títulos disponíveis, acesse:

www.**citadel**.com.br

/**citadeleditora**

@**citadeleditora**

@**citadeleditora**

Citadel - Grupo Editorial

Para mais informações ou dúvidas sobre a obra
entre em contato conosco através do e-mail:

contato@**citadel**.com.br